KB090046

자강自强

스스로 길이 되어 가라

자강自强

1판 1쇄 인쇄 2017년 9월 1일
1판 1쇄 발행 2017년 9월 8일

지은이 송석구
펴낸이 최준석

펴낸 곳 한스컨텐츠㈜
주소 서울시 마포구 동교로 136, 401호
전화 070-5117-2318 **팩스** 02-2179-8103
출판신고번호 제313-2004-000096호 **신고일자** 2004년 4월 21일

ISBN 978-89-92008-72-3 03190

이 도서의 국립중앙도서관 출판예정도서목록(CIP)은 서지정보유통지원시스템 홈페이지
(http://seoji.nl.go.kr)와 국가자료공동목록시스템(http://www.nl.go.kr/kolisnet)에서
이용하실 수 있습니다. (CIP제어번호 : CIP2017021843)

스스로 길이 되어 가라

자강 自强

송석구 지음

한스컨텐츠

자강불식,
스스로 주인공이 되는 인생을 미루지 말라

2014년 7월 말경, 삼성꿈장학재단 이사장에 취임하면서 나 자신도 생각지 못했던 일들이 이루어졌다. 돌이켜보면 가장 의미 있었던 일 중 하나가 바로 매주 월요일마다 '벽운霹耘의 편지'라는 이름으로 글을 보낸 것이다.

장학재단에 첫 출근을 했던 날, 의욕적인 젊은이들이 많이 모인 곳이라는 인상을 받았다. 전 직원 20여 명과 회의를 하는데 먼저 업무보고를 한 다음, 한 주에 있었던 감사한 일들을 이야기하고, 다음에는 순번을 정해 각자 선정하여 읽은 책의 내용과 독후감을 발표했다. 업무에 국한된 것이 아니라 직원들이 서로의 정서를 공유하며자기를 돌아볼 수 있는 시간을 가진다는 것이 무척 인상 깊었다.

나는 직원들의 발표를 들으면서 그동안 내가 살아오면서 느꼈던 생각, 그리고 지금 생각하고 있는 것들, 또한 미래의 우리를 위해 무엇인가 도움이 되는 말을 해주고 싶은 강한 충동을 느꼈다.

그래서 그들에게 삶의 나침반 같은 얘기를 해주자는 마음으로 매주 모든 발표가 끝난 다음 동서고금 현자들의 책에서 좋은 문구를 발췌하여 읽어 주고 내 생각을 부연해서 이야기했다. 그뿐만 아니라, 그 자리에 참석하지 못한 직원들도 언제든 접할 수 있도록 재단 홈페이지에 벽운碧雲의 편지라고 하여 매주 기록해두었는데, 이것이 이 책의 초고가 되었다.

수년간 쌓인 이 편지글들을 통해서 내가 가장 말하고 싶었던 내용은 삶이라는 것은 무엇보다 혼자 결정하고, 혼자 실천하며 살아간다는 것이었다. 물론, 우리가 없이는 나도 없다는 메시지도 빠뜨릴 수는 없었다.

독자 여러분도 많이 들어보셨겠지만 불교의 원시경전 『숫타니파타』에는 이런 글이 있다.

소리에 놀라지 않는 사자처럼,
그물에 걸리지 않는 바람처럼,
진흙에 더럽혀지지 않는 연꽃처럼,
무소의 뿔처럼 혼자서 가라.

이 글은 스스로 살아갈 수밖에 없는 인간이 실존적 존재임을 부각한 내용이다. 즉 자강自強을 강조한다. 자강은 스스로 독립적인 힘을 갖고 매사에 임한다는 말로도 쓰이며, 그러기 위해서 몸과 마음을 가다듬는 노력을 지속한다는 말로도 쓰인다. 그런데 이 자강이라는 말의 기원에 대해서 정확히 아는 분들이 많지 않은 것 같다.

자강은 본래 사서삼경 중 『역경易經』의 자강불식自强不息이라는 말에서 유래하였다.

『역경』의 중천건(重天乾, 역경 64괘 중의 하나)괘를 풀이한 상전(象傳, 괘의 형상을 풀이한 글)에 이런 글이 있다.

천행건 군자이자강불식天行健, 君子以自强不息

"하늘의 운행은 건실하니, 군자는 이를 본받아 스스로 강해지기 위하여 쉬지 않는다"라는 의미다. 여기서 강해진다는 의미에는, 삿된 욕망을 이겨낸다는 의미도 있다.

태양이나 달과 같은 천체의 운행은 쉬는 바가 없다. 어제 뜬 태양이 힘들다고 오늘 파업을 하는 일은 없는 것이다. 한순간도 어김없이 건실하게 운행을 한다. 그 건실함을 바탕으로 세상 만물이 자라고, 인간은 날씨를 예측하여 미래를 대비하고 농작물을 경작하는 등 삶을 영위해나갈 수 있다.

자강하는 사람은 이렇게 건실한 천체의 운행을 본받아 더 강해지기 위해서 힘써 스스로 노력하기를 게을리하지 않는다. 그렇게 해서 삿된 욕망을 이겨내고 어제보다 더 강해진, 어제보다 나은 내가 되어 독립적인 삶을 개척해나가는 것이다. 즉, 환경이나 타인에 의해서가 아니라 자기 삶의 주인공이 되어 스스로 강해지기를 게을리하지 않는 자가 바로 군자다.

이 책이 그러한 자강하기를 지향하는 사람들에게 조금이나마 도움이 되길 바란다. 어느 좋은 때를 기약하여 오늘 나의 허물을 바로잡기를 미루지 말고, 어느 먼 미래를 위하여 오늘 행복해지기를 미루지 않기를 바란다. 무엇보다 이 책을 통해 자기 삶의 중심이 되어, 스스로 길이 되어가는 삶을 살기를 바란다. 그러기 위해 바로 지금

이 순간부터 자강으로 나아가기를 바란다.

인간은 누구나 태어나면 죽는다. 아무리 대단한 부귀영화나 권력도 죽음 앞에서는 모두 무용지물이다. 그렇다면 누구에게나 똑같이 주어진 이러한 평등한 삶을 맞아 우리는 어떻게 살아가야 하는가? 매 순간 자기 자신을 자각하며 살아가야 한다. 그것은 곧 나에 대한 마음의 집중이며, 그 마음의 집중은 곧 자연의 산하대지와 인간과 뭇 중생과 하나 되는 것이다. 그러한 경지에 이르렀을 때 자기 삶의 주인공으로 대자유인으로 거듭날 수 있을 것이니, 독자 여러분들이 저마다 자강을 통해서 그러한 경지에 이르기를 바란다.

끝으로 내 이야기를 경청해준 우리 재단 식구들에게 감사의 말을 전하며 강의 내용을 성실히 기록해준 김영훈 선생, 강희정 양에게 감사의 뜻을 전하며 서문을 마친다.

목차

1부. 지금 이 자리에서 행복해지기

2부. 강한 사람으로 거듭나기

3부. 스스로 지혜롭게 깨어 있기

4부. 소중한 인연과 더불어 살아가기

1부
___

지금 이 자리에서
행복해지기

지금 이 순간,
지금 내가 만나는 사람

'일기일회 一期一會'라는 말이 있다. 『무소유』라는 베스트셀러로 유명했던 고 법정 스님은 그 책 외에도 『영혼의 모음』, 『일기일회』, 『물소리 바람소리』, 『봄 여름 가을 겨울』 등 많은 책을 남겼다.

법정 스님은 생전에는 물론, 돌아가신 이후에도 무소유를 실천했던 분이다. 입적하셨을 때도 입던 옷 위에 가사 한 장만을 덮은 후 제대로 된 관도 없이 조문을 받았다. 그리고 그 상태로 다비茶毘식을 치렀다. 또한 법정 스님은 본인의 책들을 절판하라고 했는데, 훗날 혹시라도 있을지 모를 크고 작은 분쟁들을 미리 막기 위함이었다. 여기서는 『일기일회』의 한 구절을 소개하려고 한다.

지금 이 순간은 생生에 단 한 번의 시간이며
지금 이 만남은 생生에 단 한 번의 인연이다.

이것이 바로 일기일회이다. 조금만 깊게 생각해보면, 삶이란 정말 소중한 것이다. 따라서 순간순간을 늘 인식하며 살아가야 한다. 책에 담긴 내용을 하나 더 소개하자면 이런 것이다.

삶을 소유물로 여기기 때문에 우리는 소멸을 두려워한다.
삶은 소유가 아니라 순간순간의 있음이다.

보통 우리는 자신의 삶은 자기 소유라고 생각한다. 하지만 삶을 '순간순간의 있음'으로 자각하는 순간, 근심과 고뇌 역시 '순간순간의 있음'으로 변한다. 묘협 스님의 『보왕삼매론』에도 이와 비슷한 구절이 있다.

세상살이에 곤란함이 없기를 바라지 말라.
세상살이에 곤란함이 없으면
오만한 마음과 사치하는 마음이 일어난다.
그래서 옛 스승들이 이르시기를
근심과 곤란으로써 세상을 살아가라.

근심과 고통, 고난과 같은 것들도 즐길 줄 알아야 한다. 근심이 오면 후에 즐거움이 온다는 것을 알며, 또 곤란이 와도 곧 극복될 수 있다는 점을 알아야 하는 것이다.

본래 산다는 것이 근심과 곤란의 연속이다. 중요한 것은 이것을 어떻게 받아들이는가이다. 독자 여러분도 법정 스님의 말씀을 생각해보면서 지금 이 순간, 지금 내가 만나는 사람을 소중하게 여기고, 매 순간의 삶을 소중하게 보내길 바란다.

우리는 누구나
여행자일 뿐

최근에 읽은 좋은 글을 하나 소개해 드리려고 한다.

우리는 지구라고 하는, 멋진 펜션에 잠시 왔다 가는 여행객들입니다.
적어도 지구를 우리가 만들지 않았고, 우리가 값을 치르고 산
것이 아닌 것은 분명합니다. 그렇다면 우리가 이 펜션의 주인은
아니겠지요. 그리고 다들 일정 기간 후에 떠나는 것을 보면, 이곳에
여행을 온 것이 맞는 듯합니다.
단지 여행 기간이 3박 4일이 아닌 7, 80년 정도일 뿐인데 우리는
여행 온 것을 잊을 때가 많습니다. 펜션의 주인이 조용히 지켜보는
가운데, 이 여행객들은 서로 자기들의 방을 잡고는 마치 진짜

자기 집인 양 행세하기 시작합니다. 다른 방의 여행객들이 한번 들어와 보고 싶어 하면, 복잡한 절차를 거쳐 일정한 값을 치르고 들여보냅니다.

심지어 싸우기도 합니다. 다른 방을 빼앗기 위해 싸우기도 하고, 다른 여행객들이 가진 것을 빼앗고 목숨을 해하기도 합니다. 우리는 펜션 주인이 제공하는 햇빛과 물, 공기와 같은 너무나 비싼 서비스를 공짜로 이용하면서, 심지어는 방들도 공짜로 이용하면서 서로에게는 값을 요구합니다.

과연 이 펜션에 우리 것이 있을까요? 우리는 여행객인걸요. 마음씨 좋은 주인이 함께 누리라고 허락해 준 이 아름다운 여행지에서 다 함께 여행을 즐기면 어떨까요? 여행을 소중히 여겨 주세요. 나에게도 딱 한 번이지만, 다른 사람에게도 딱 한 번 있는 여행이니까요.

매일 똑같은 일을 반복하다 보면 매너리즘에 빠지기 쉽고 일상이 지겹게 느껴지기도 한다. 하지만 이렇게 여행자의 눈으로 세상을 보면 매 순간이 소중하고 새롭게 보인다. 조금도 손해 보지 않기 위해서 아웅다웅하기보다는 잠시 머물다 가는 여행자처럼 매 순간을 소중히 여기며 즐겁게 살자.

『대학大學』에 이런 문구가 있다.

탕지반명湯之盤銘 왈曰

구일신苟日新이었듯 일일신日日新하며

우일신又日新이라 하고

강고康誥 왈작신민曰作新民이라 하며

시왈주수구방詩曰周雖舊邦이나 기명유신其命維新이라 하니

시고是故로 군자君子는 무소불용기극無所不用其極이니라.

"탕왕의 반명(盤銘, 쟁반에 새긴 글자)에 진실로 하루를 새롭게 할 수 있
다면 나날이 새로워진다고 했다. 강고(康誥, 주나라 때의 옛 시문)에서는
백성들을 새로워지도록 고무, 진작시키라고 했으며 시경에서는 주는
비록 오랜 나라라도 그 천명은 새롭다고 했다. 그러므로 군자는 그 법
도를 쓰지 않는 바가 없다."

고대 중국 상나라의 창건자이자 성군으로 추앙받는 탕왕은 세숫
대야에 일신우일신日新又日新을 새겨놓고 세수를 할 때마다 이 글귀를
보며 매일 새로운 마음을 가지려 했다. 또한 『서경書經』 중 「강고」편
에서는 나라를 잘 다스리기 위해 백성들이 늘 새로워지도록 독려할
것을 강조하였다. 또한 『서경』에는 오랜 역사를 자랑하는 주나라도
통치이념과 기상이 늘 새로웠다고 적혀있다.

옛 선인들의 삶의 자세에서 엿볼 수 있듯이 반복되는 일상에 매

몰되지 않기 위해서는 늘 새로운 마음을 가지려는 노력이 필요하다. 나는 매일 아침 일어나 세수를 하고 거울을 보며 이렇게 외친다. "나는 오늘 새롭다! 오늘 나는 무엇이든 성공할 것이고 좋은 일로 가득한 하루를 보낼 것이다!" 이렇게 긍정적인 다짐으로 하루를 시작하면 에너지가 생기고, 같은 일도 전혀 지루하게 느껴지지 않는 것이다.

이렇게 다짐을 하고 난 후에는 작은 일이라도 변화를 도모하기 위해 노력한다. 오늘은 전과 다른 펜으로 다이어리를 작성한다든가 책상에 전에 없던 꽃을 하나 꽂아 두는 등의 사소한 변화를 주어 반복되는 일상에 새로움을 불어넣는다.

그뿐만 아니라 더 장기적이고 큰 변화를 도모하기 위해서 항상 책을 가까이하고 부지런히 공부한다. 나이의 많고 적음과 관계없이 현실에 안주하면 삶이 무미건조해지고 지루하게 느껴지지만 새로운 것을 배우고 더 나은 삶을 추구하면 활기가 넘치기 때문이다.

사실 내가 지금 맡고 있는 재단이 하는 일도 큰 틀에선 늘 같다. 공모, 심사, 선발, 관리 등이 반복되기 때문이다. 하지만 각 업무의 내부적 흐름은 분명 다르다. 그 흐름을 간파하고 늘 새롭게 배운다는 마음을 가진다면 단조롭게 느껴지는 업무도 즐겁게 임할 수 있을 것이다.

영화 〈바람과 함께 사라지다〉의 주인공 스칼렛 오하라는 극의 말미에 다음과 같은 명대사를 남겼다. "어쨌든 내일은 또 다른 날이다 After all, tomorrow is another day."

우리나라에서는 "내일은 내일의 태양이 뜬다"로 번역되어 아직까지도 많은 이들에게 회자되고 있다. 이 명대사의 의미처럼 오늘의 삶은 분명 어제와 다르다. 낯선 곳으로 떠난 여행자처럼 새롭게 마음을 먹을 수 있다면 우리는 늘 새로운 꿈을 꾸며 활기 넘치는 삶을 살 수 있을 것이다.

현재에
집중하자

현재의 일에 집중하는 것, 지금 발밑의 일에 집중하는 것이 괴로움을 벗어나 행복한 하루하루를 살아가는 지름길이다.

당나라 법연 스님이 제자들과 함께 등불을 들고, 캄캄한 밤길을 걷고 있었다. 그러던 중 갑자기 등불이 꺼지고 말았다. 어둠에 갇혀 허둥지둥하는 제자들을 보며, 법연 스님은 조고각하照顧脚下, 즉 "발밑을 살펴라"라고 말씀하셨다. 이 가르침 속에는 우리가 어떤 혼란과 어려움에 봉착하더라도, 자기 자신을 관조하면 그 난관을 뚫고 나갈 수 있다는 깊은 뜻이 담겨 있다.

늘 깨어 있는 마음으로 자신을 살피고, 현재에 집중하는 습관을 들인다면 어떤 상황에서도 자신을 잃지 않을 수 있다. 힘들고 어려운 시기가 찾아오더라도 조고각하의 뜻을 잃지 말고, 가장 가까운 나의 마음을 살핀다면 자신도 모르게 내공이 쌓이면서 어떤 난관도 극복할 수 있을 것이다.

대학 시절에 아우구스티누스St. Augustine의『고백록』이라는 책을 감명 깊게 읽었다.

아우구스티누스는 스무 살이 되기 전까지는 방탕한 생활을 이어 갔다. 하지만 어머니인 모니카의 간절한 기도를 통해 타락한 생활을 벗어날 수 있었다. 그리고 이러한 이야기를『고백록』에 가감 없이 기록해 두었다.

이『고백록』의 뒷부분에는 시간론에 관한 내용이 이어진다. 우리는 시간을 과거, 현재, 미래 세 가지로 나누어서 생각하지만 실상 과거는 이미 지나간 것에 불과하다. 따라서 우리의 기억 속에만 존재한다. 반면 미래는 아직 오지 않은 것이다. 미래는 실재하는 것이 아닌 우리의 기대일 뿐인 것이다. 이는 곧 데카르트Descartes의 "나는 생각한다. 그러므로 나는 존재한다Cogito, ergo sum"와 같은 맥락이기도 하다.

우리의 삶은 현재, 지금 이 순간이다. 하지만 우리는 과거를 기억하고, 또 미래를 기대하려고만 한다. 하지만 무엇보다 중요한 것은 지금 내가 무엇을 하고 있는지 아는 것이다. 그리고 그것에 집중해야 한다. 과거나 미래, 영원은 결국 현재 속에 있기 때문이다.

『꾸뻬 씨의 행복여행』이라는 책에도 비슷한 내용이 나온다. 인생에는 행복이라는 궁극적인 목적이 있다는 말은 잘못되었다는 것이다. 행복은 멀리 있는 것이 아니라 지금 이 순간이어야 한다.

따라서 매 순간에 집중해야 한다. 언제나 존재하는 것은 현재뿐이다. 또한 지금 자신의 일에 집중하고 있느냐 아니냐에 따라서 운명이 결정된다. 즉, 현재에 집중하는 것이 행복이자 영원인 셈이다.

절 기둥이나 벽에 세로로 써 붙이는 글씨를 주련柱聯이라고 한다. 해인사 일주문에는 이러한 글이 적혀 있다.

역천겁이불고歷千劫而不古
긍만세 이장금亘萬歲而長今

"일천 겁을 지나도 옛날이 아니며 일만 세를 뻗쳐도 언제나 지금이다."

이 말은 오랜 세월이 지나도 옛날이 아니요, 아무리 시간이 흘러도 언제나 지금이라는 뜻이다.

과거 속에 현재와 미래가 있고 지금 속에 과거와 미래가 있다. 미래가 오지 않았다 하더라도 우리는 지금 속에서 미래를 기대하는 것처럼 언제나 지금만이 존재하는 것이다.

우리는 과거가 지나가 없어졌다고 생각하지만, 과거는 없어진 것이 아니다. 또한 과거는 지나가서 기억 속에 남아있는 것처럼 여겨지지만, 그 기억은 지금의 기억일 뿐이다. 과거는 지금의 내 생각 속에 있다. 우리가 미래에 대한 기대를 한다고 하지만 그 기대 또한 지금 속에서의 기대이다.

내일이 지나면 또 지금이 되는 것처럼 우리는 언제나 지금을 안고 살아간다. 우리는 단절된 시간만을 보지만 실제 시간이라는 것은 무한히 연속되고 순환된다. 그렇기 때문에 우리에게는 항상 지금이 가장 중요한 것이다. 지금 이 시간은 내 의지에 따라 바뀌기에 언제나 나 자신의 중심을 잡고, 의지력을 발휘하여 지금을 살아가야 한다.

오늘을 어떻게
살 것인가?

『탈무드』에 나오는 이야기다.

오늘이 당신의 마지막 날이라고 생각하라.
그리고 오늘이 당신의 첫 번째 날이라고 생각하라.

오늘이 내 인생에서 마지막 날이라면 독자 여러분은 어떻게 살
것인가? 또 어떤 생각을 하며 마지막 날을 보낼 것인가? 아마 내 인
생의 마지막 날이라면 오늘을 그냥 흘려보낼 수 없을 것이다. 뭔가
결실을 만들려고 충실하게 살 것이다. 해야 할 일을 지금 당장 시작
하고, 그것에 대한 결실을 보고자 절박한 태도로 임할 것이다.

또한 오늘이 내 생애 최초의 날이라고 생각한다면 우울하게 보내는 것이 아니라 활기 넘치고 희망차게 하루를 보낼 것이다.

감기가 낫고 나면, 병에 걸렸을 때의 우울함과 불안, 고통을 잊어버리고 상쾌하고 활기차게 나아가듯이, 새로 태어난 날이라면 긍정적이고 행복하게 하루를 시작할 수 있는 것이다. 그러므로 어려운 일이 있다고 낙심하며 시간을 보내지 말고 그것을 극복하기 위해 새로운 길을 찾아야 한다. 그러려면 씩씩하고 활기차며 긍정적으로 살 수밖에 없다.

우리가 살아가면서 큰 질병에 걸리는 이유는 환경이나 유전적 요인 등 여러 이유가 있겠지만 가장 치명적인 원인은 자신에게 부여된 하루하루를 긍정적으로 받아들이지 않는 데 있다.

오늘을 마지막 날처럼 그리고 첫 번째 날처럼 살아가려고 노력하라. 하루를 풍성하게, 한 달을 튼튼하게, 일 년을 즐겁게 만들다 보면 나의 일생 자체가 어느덧 가장 열정적인 모습으로 변해 있을 것이다. 그렇게 자기 삶의 주인공이 되어 매일을 허투루 낭비하지 않고 행복하게 살아가는 자에게 성공과 행복이 없다면 그것이 도리어 이상한 일일 것이다.

먼저 자신을
사랑하자

얼마 전 가수 이장희 씨의 콘서트에 다녀왔다. 7, 80년대를 주름 잡던 가수의 공연을 보기 위해 많은 관객이 콘서트장을 찾았다. 프로 가수답게 2시간이라는 공연 시간 동안 한 치도 흐트러짐 없는 집중력과 몰입으로 관객들을 사로잡았다. 이장희 씨가 「그건 너」라는 곡을 부를 때 문득, 나태주 시인의 「풀꽃」이라는 시가 생각났다. 다음은 그 시의 한 구절이다.

자세히 보아야 예쁘다.

오래 보아야 사랑스럽다.

너도 그렇다.

이 시는 우리에게 자신을 사랑하자는 메시지를 전하고 있다. 자세히 보아야 예쁘고, 오래 보아야 사랑스러운 것, 그것이 바로 너라고 말하고 있는 것이다.

우리는 모두 소중한 존재들이다. 남에게 사랑받기 전에 스스로를 사랑할 줄 알아야 한다. 자신을 사랑하지 못하는 사람은 작은 시련이 닥치기만 해도 쉽게 포기하고 남 탓을 하기 마련이다. 이러한 사람은 결국 아무에게도 사랑받지 못하게 된다. 사랑받는 삶을 살고 싶다면, 먼저 자신을 사랑하는 것이 우선이다.

완벽하지 않은 나를
받아들이자

완벽完璧은 한 점의 흠결도 없는 옥이라는 말에서 나왔다. 우리는 대개 완벽한 것을 사랑하고 완벽하지 않은 것을 싫어한다. 하지만 따지고 보면 세상 만물 중에서 완벽한 것은 하나도 없다.

중세 철학자 데카르트가 주장한 신의 존재 증명 중에 '완전하다'는 말에 대한 고찰이 있다. 완전한 대상이 이미 존재해야 완전이라는 말이 생긴다는 것이 그의 논지다. 사람들은 일반적으로 신은 완전하다고 표현한다. 따라서 그는 그 언어의 논리에 따라 신은 존재한다고 주장한 것이다.

하지만 우리는 신이 아니다. 그렇기 때문에 우리는 불완전하다. 우리는 불완전한 가운데 완전을 추구하며 살아간다. 그러나 불완전한 것 자체가 완전한 것이지 계속 불완전한 것이 아니다. 즉, '불완전하다, 완전하다'라는 흑백 논리로 이분화하기에는 문제가 있다. 완전 속에 불완전이 있고 불완전 속에 완전이 있기 때문이다. 큰 것 속에 작은 것이 있고 작은 것 속에 큰 것이 있는 이치와 같다.

혜민 스님의 저서 『완벽하지 않은 것들에 대한 사랑』에는 이러한 구절이 있다.

> 우리는 열 마디 칭찬보다 한마디 비난에 훨씬 더 영향을
> 받습니다. 그러니 누군가가 나를 비난해서 상처를 받았을 때
> 기억하세요. 그 한마디 비난 뒤엔 나를 응원하고 좋아해주는
> 사람들의 열 마디 박수가 숨어 있다는 사실을요.

우리는 완벽한 것만 사랑하는 것이 아니라 완벽하지 않은 것도 사랑해야 한다.

완벽하지 않은 나, 즉 내 결점을 누군가가 비난하면 화가 난다. 그러나 그 결점은 나의 일부일 뿐이며, 더 많은 사람이 나를 칭찬하고 있다는 사실을 알아야 한다. 나라는 존재는 참 소중한 존재인데 누가 나를 비난했다고 그것이 전부인 것처럼 여기지 말아야 하는 것이다.

주위를 둘러보면, 나에게 갈채를 보내는 사람도 많이 있다. 만약

에 그렇지 않다면, 봉사 활동을 해보는 것도 좋다. 작은 봉사라도 갈채받는다면 남이 나를 비난할 때 그것으로 마음을 돌려 생각할 수 있기 때문이다. 나는 생활이 어려운 사람을 위해 기부를 한다. 또, 나는 일주일에 한 번은 자원봉사를 한다. 그로 인해 나는 세상에 필요한 존재가 될 수 있다. 이러한 마음가짐으로 강퍅한 마음에서 벗어나 비난을 이기는 힘이 자라나는 것이다.

마케팅 비즈니스업계에는 이런 말이 있다.

물건을 홍보하고 파는 사람 스스로가 그 물건이 정말로 좋다고
뼛속까지 느끼지 않는다면 그 물건은 잘 팔리지 않습니다.
사람들은 물건을 산다기보다
파는 사람의 열정을 사기 때문입니다.

내가 운영하는 장학재단을 밖에서 자랑하고 다니는 것은, 내가 열정을 가지고 그 일에 헌신하기 때문이다. 단지 생계를 위해 다닌다 생각하면 남에게 자랑스럽게 이야기할 수 없다. 대학교수로 있던 시절, 나는 학생들에게 우리 학교 학생으로서 대학을 사랑하라고 항상 이야기했다. 점수가 모자라 어쩔 수 없이 이 대학에 다닌다는 마음가짐을 버리고, 자신이 다니는 학교를 진정으로 사랑해야 성공할 수 있기 때문이다.

요즘 우리나라에 일명 금수저, 은수저, 흙수저로 계급을 구분 짓는 소위 수저 계급론이 유행하고 있다. 이렇게 배경을 중요시하는 풍조가 만연하지만 어떤 상황에서도 자기 가문을 자랑할 줄 아는 사람이 주체성이 있지 남의 가문만 부러워해서는 아무런 소용이 없는 것이다.

　자신을 사랑하고 소중하게 생각하는 사람은 자존감이 높고 다른 사람과 긍정적인 관계를 유지할 수 있다. 또한 감정의 심지가 굳건해서 다른 사람의 비난이나 어쩌다 생기는 실수에도 바람 앞의 등잔불처럼 흔들리지 않고, 인생의 굴곡 앞에서도 유연하게 대처할 수 있다. 조금 부족하더라도 나를 사랑하고 믿어야 한다. 그래야 다른 사람들도 나를 신뢰하고, 사랑하고, 함께 성공하는 길로 인도할 것이다.

작은 것에도 감사할 줄
아는 마음

스티븐 호킹 박사가 교수로 재직하고 있던 케임브리지 대학의 학생들이 박사에게 질문 하나를 했다.

"박사님이 생각하는 박사님의 가장 큰 업적은 무엇인가요?"

스티븐 호킹 박사는 이렇게 대답했다.

"내 생애 최고의 업적은 다름 아닌 현재 내가 살아 있다는 것입니다."

스티븐 호킹 박사의 말처럼, 지금 우리가 이렇게 살아 있다는 사실은 그 자체만으로도 참 소중하고 감사한 일이다.

그리고 스티븐 호킹 박사는 또 이렇게 말했다.

"나는 여전히 움직일 수 있는 세 손가락을 가지고 있으며 생각을 할 수 있는 두뇌가 있습니다. 또한 나에게는 사랑하는 가족들이 있습니다. 그리고 무엇보다 나에게는 감사할 줄 아는 마음이 있습니다."

우리는 열 개의 손가락을 가졌음에도 많은 불평을 하며 살아간다. 하지만 돌이켜보면 우리의 삶에는 감사하게 생각해야 할 일들이 정말 많다. 살아 있다는 그 자체가 이미 큰 행복이 아닌가.

'일도인 도안 미명고 신위목균 이환신시 一道人 道眼 未明故 身爲木菌 以還信施'라는 글귀가 있다. 풀이하자면, 옛날 어떤 도인이 도의 눈이 밝지 못한 탓으로 죽어서 나무 버섯(표고버섯)이 되어 시주의 은혜를 갚았다는 뜻이다. 우리는 다른 사람들에게 많은 도움을 받으며 살아간다. 그러므로 도움을 받은 것을 갚을 줄 알고 감사할 줄 알아야 한다.

불교에서 한 수도인이 밥을 먹다가 쌀 한 톨을 떨어뜨린 죄로 소가 되어, 살아서는 뼈가 휘도록 일하고 죽어서는 살코기와 가죽으로써 그 빚을 갚았다는 이야기가 있다. 내가 밥을 먹을 수 있는 것에도 그 수많은 과정을 살펴보면 모두가 감사한 일인 것이다.

독자 여러분도 지금 자신에게 부족한 것만 찾으려고 하지 말고 내 삶에 감사하는 마음을 가져야 한다. 세상 사는 것 하나하나에 관심을 기울이면, 세상이 달라 보이고 작은 것에도 감사하는 마음을 가질 수 있다. 그리고 작은 것에도 감사할 줄 아는 마음은 우리 삶을 행복하게 하는 아주 강력하고 유일한 방법이자 기술이 된다.

남의 생각에 휩쓸리지 말고,
자기 자신을 탐구하라

자기 자신의 중요성을 다룬 조현 작가의 책 『그리스 인생 학교』에서 인상 깊었던 몇 가지 구절을 소개하려고 한다.

독창은 내가 스스로 질문하여 얻어낸 것이다.

하나, 최고의 직업은 남들이 줄 서는 분야가 아니라 내가 기쁘고 행복하게 능력을 발현할 수 있는 곳이다.

둘, 최고의 짝은 미스월드나 미남 배우자가 아니라 나와 가장 잘 통하는 상대다.

셋, 최고의 답은 남들의 말이 아니라 내가 스스로 물음을 통해 얻어낸 것이다.

위의 네 가지 문장들은 모두 자신의 중요성을 강조하고 있다.

스티브 잡스는 생전에 이런 말을 했다.

"나에게 소크라테스와 한 끼 식사할 기회가 주어진다면 애플이 가진 모든 기술을 그 식사와 바꾸겠다I would trade all of my technology for an afternoon with Socrates."

만약 실제로 그 식사가 성립되었다면 소크라테스는 스티브 잡스에게 어떤 말을 건넸을까? 아마 소크라테스는 잡스에게 "세상의 견해가 아닌 당신의 견해를, 다른 사람의 고민이 아닌 당신만의 고민을, 대중들이 열광하는 것이 아닌 당신 내면의 환호를 생각하라"는 말을 건넸을 것이다. 그리고 "세상 사람들이 행복하다는 길 말고, 당신이 행복해질 길을 찾아라"라고 이야기했을 것이다.

우리는 종종 타인의 생각과 감정을 자신의 것으로 착각한다. 남들의 생각과 말에 휩쓸리지 않고, '나 자신'에 대한 치열한 탐구를 통해 내면의 진정한 행복을 찾아야 한다.

맹인이었던 호메로스는 『일리아스』와 『오디세이아』를 통해 서양 문명의 기틀을 다졌다. 맹인이기에 괴롭고 불행하다는 것은 호메로스의 생각이 아닌, 다른 사람들의 생각일 뿐이었던 것이다. 디오게네스는 노숙인이었지만, 왕도 부러워하지 않을 행복을 가졌고, 노예이자 절름발이였던 에픽테토스는 암울한 상황에서도 정신적 자유를 누릴 수 있어서 로마의 황제인 마르쿠스 아우렐리우스와 초기 기독교 사상가들의 스승이 될 수 있었다.

소크라테스(BC470~BC399) 이전에는 '미토스Mythos', 즉 신화가 사고思考를 지배하는 사회였다. 여기서 미토스란 대단히 감성적이며 비이성적인, 즉 신화적인 이야기를 말한다.

반대로 소크라테스는 이러한 미토스에 대응하는 '로고스Logos', 즉 이성을 강조했다. 그는 신화를 믿는 것이 아니라 '나 자신'을 믿어야 함을 역설했다. 청년들에게 신화보다 나 자신을, 허구의 이야기가 아닌 실제적 사고를 강조한 소크라테스는 결국 이로 인해 독배를 마시고 죽음에 이르렀다.

우리는 종종 자신의 생각이 아닌 것을 내 것이라고 착각하는데, 이것은 프란시스 베이컨(1561~1626)의 우상의 개념과도 관련지어 생각해볼 수 있다. 이성적인 사고를 하기보다는 인간의 관점에서만 해석하는 종족의 우상에 갇히거나, 성급한 일반화를 하는 동굴의 우상에 갇히는 것을 경계해야 한다. 언어를 실체로 믿는 시장의 우상이나 권위를 맹목적으로 믿는 극장의 우상도 이와 마찬가지로 위험하다.

이러한 우상에서 벗어나 자기 자신을 바로 세우는 것보다 중요한 것은 없다. 내면에서 우러나오는 생각이 진정한 나 자신의 생각이다. 우리는 외부의 소리가 아닌 내면의 소리에 집중하여 자신만의 로고스를 찾아야 한다.

●

화를 다스리는
삶을 살자

『선가귀감禪家龜鑑』에는 이런 구절이 있다.

번뇌수무량煩惱難無量 진만瞋慢 위심爲甚

열반운涅槃云 도할塗割 양무심兩無心

진여냉운중瞋如冷雲中 벽력기화래霹靂起火來

"번뇌가 비록 한량 없으나, 성내는 것이 가장 심하니 열반경에 이르기

를 창과 칼로 찌르거나 향수와 약을 발라주더라도 두 가지에 다 무심

하라 하시니, 성내는 것은 찬 구름 속에서 벼락치고 번갯불이 번쩍이

는 것과 같다."

욕심, 증오, 사랑, 기쁨, 슬픔, 욕, 질투 등은 모두 번뇌에 속한다. 그러나 어떠한 형태의 번뇌가 일어난다 할지라도 마음만큼은 무심할 줄 알아야 한다. 즉, 나에게 상처를 주는 사람도 미워하지 말고, 그 상처를 소독해주고 약을 발라주는 사람에게도 감사한 마음을 갖지 말아야 한다.

이를 '도할 양무심塗割 兩無心'이라고 한다.

여러 가지 번뇌 중 가장 다스리기 어려운 것은 화를 참는 것이다. 최근에 우리나라에서 다양한 묻지마 범죄가 일어나는 것도 화를 다스리지 못해서이다. 화는 찬 구름 속에서 벼락이 쳐 불이 나는 것과 같이 돌이킬 수 없는 결과를 자초한다. 따라서 누군가 나를 비난하고, 욕하고 해로움을 준다 하더라도 참아내는 것을 배워야 한다.

화는 쉽게 말하면 독이다. 화를 낼 때 나오는 수증기를 농축해서 액체화시키면 0.5cc가량의 액체가 된다. 이것을 새끼 돼지에게 주입하자 새끼 돼지가 곧 죽어버렸다는 연구결과가 있다.

그만큼 화와 증오는 무서운 것이다. "시어머니가 젖 먹이는 며느리에게 혼을 내면 젖 먹던 아이가 생똥을 싼다"는 옛말이 있다. 화가 난 어머니가 품은 독기가 젖을 먹는 아기에게까지 흘러가 독이 된다는 의미다.

장맛이 나쁘면 그 집안이 기운다고 한다. 장은 메주로 담는데, 평화로운 집안은 자연의 세균이 들어가서 곰팡이를 만든다. 그러나

싸움이 잦은 집안은 홧김이 메주에 들어가는 바람에 메주가 시커멓게 변해서 맛이 변한다고 한다. 이러니 화목하지 못한 집이 잘 될 리가 없다. 늘 욕하고 싸우는 집의 아이들은 유난히 종기와 부스럼이 많다는 얘기도 있다.

화는 과거에 대한 불만, 성취하지 못한 것에 대한 분풀이, 자기 뜻대로 되지 않는 것에 대한 저항일 뿐이다. 그것을 직시하여 삶을 소중히 여기고, 너그러운 마음을 가지도록 하자.

세상을 살다 보면 여러 가지 고통이 있다. 육체적 고통은 눈에 보이지만 마음의 고통은 눈에 보이지 않는다. 그래서 마음의 고통은 더 해결하기가 어렵다.

부부관계나 사회적 인간관계, 우정관계에서도 자신의 욕구가 수용되지 않으면 마음이 괴롭다. 근래 우리나라 사람들이 분노를 너무 쉽게 표출하는 것이 이슈가 되고 있다. 어떤 사람들은 분노를 발산해야 병이 없다고 한다. 하지만 나는 분노를 발산하면 병이 생긴다고 본다. 분노는 참는 것이 아니라 삭이고, 분산시키는 것이다. 그러려면 분노를 참는 것이 아니라 객관적으로 볼 수 있어야 한다.

고통은 이길 수 있는 것이 아니다. 또한 마음의 고통은 금방 생겼다가 금방 사라지기에 영원하지도 않다. 즉, 분노의 원인이 무엇인지를 생각하는 순간, 분노는 없어진다. 마찬가지로 고통의 원인을 밝히려고 하는 순간에 고품는 사라진다. 다시 말해 마음의 고통은 마음이 바뀌어야 사라지는 것이다.

따라서 대화할 때 즉각적인 반응을 하려고 하지 말고 먼저 그 원인에 대해 생각해보아야 한다. 가령 부부싸움을 할 때 말이 나오는 대로 곧장 내뱉기보다는 우선 분노의 원인을 찾아야 한다. 원인이 무엇인가를 생각해보라는 것은 반드시 그 원인을 찾으라는 뜻이 아니라, 분노로부터 한 걸음 물러나 보라는 것이다.

화를 피하는 것은 곧 화를 객관적으로 본다는 것을 의미한다. 그러려면 반드시 훈련이 필요하다. 불자들이 분노가 일어났을 때 관세음보살 외우듯이, 분노를 삭일 수 있도록 다른 것에 생각을 집중하는 일이 필요하다. 예를 들면, 화가 나서 분노에 휩싸일 때는 욕설 대신 노래를 불러보는 것도 좋다.

각자의 종교에 따라 관세음보살이든 아멘이든 관계없다. 지금 가지고 있는 생각을 변화시킬 수 있는 생각을 하고 분노의 원인을 찾으려고 하는 순간, 분노는 사라진다. 이 사실을 잘 기억하면 분노로 인한 고통에서 벗어날 수 있다.

정리하면 항상 어떠한 일을 당했을 때, 그 일이 어떤 일인지 다시 생각해보는 것이 중요하다. 어떤 방식으로든 분노로부터 한 걸음 물러나 보는 것이 분노를 잘 다스리는 방법이다.

마음을 다스리는
호흡법

　화를 다스리고 마음을 다스리는 명상 호흡법에 대해서 간단히 말하고자 한다. 명상을 하려면 먼저 매일 어느 시간이든 조용한 공간에서 혼자만의 시간을 가지는 것이 중요하다. 명상의 대상은 정해져 있는 것이 아니다. 읽고 있는 책의 내용을 온전히 이해하려고 노력하는 것도 사색思索이고, 명상이다. 사서삼경의 하나인 『대학』에 나오는 사물의 궁극적인 이치를 파악하기 위해 노력하는 '격물치지格物致知'도 명상의 일종이다.

　'나는 누구인가, 내가 사는 이유는 무엇인가, 내가 매일 출근하고 퇴근하는 이유는 무엇인가'와 같은 질문을 자신에게 던지고 답을 생각해보는 것도 명상의 일종이다.

수식관數息觀이라는, 호흡을 통해서 명상에 들어가는 가장 기본적이고 기초적인 방법이 있다. 숨을 내쉬고 들이쉴 때 수를 세는 것이다. 하나부터 순서대로 열까지 센다. 그리고 다시 열에서 아홉 여덟으로, 역으로 세는 방법을 계속한다. 그렇게 하는 사이 딴생각이 들어와 수를 놓치는 경우가 있다. 그때는 다시 처음부터 숨쉬기를 계산하는 방식의 호흡법이다.

이 수식관을 할 때는 조급함을 버려야 한다. 그래야만 온전히 나 자신에게 집중할 수 있기 때문이다. 이런 호흡법을 통해서 내 행동과 의식을 자각해야 한다. 그렇게 해서 내외가 하나가 되는 시간이 바로 명상이다.

이처럼 명상의 기초는 무엇보다 호흡법이다. 천천히 숨을 크게 들이쉬고, 스스로 그것을 자각自覺하여 집중해야 한다. 그런 뒤 천천히 숨을 내쉬며 다시 의식을 집중하는 것이 중요하다. 이러한 명상을 습관화하면 위기가 찾아오더라도 마음의 평화를 잃지 않을 수 있다. 오늘부터라도 직접 이러한 명상瞑想을 실천해보기 바란다.

지혜를 얻는
호흡법

『선가귀감禪家龜鑑』은 서산대사가 쓴 경전에서 명문名文을 추려낸 뒤 주해와 게송을 달아 내용을 풀이한 책이다. 『선가귀감』에 이런 말이 있다.

무애청정혜 개인선정생無碍淸淨慧 皆因禪定生

즉, 걸림 없는 청정한 지혜는 모두 선정禪定에서 나온다는 말이다. 선정이란 참선參禪을 통해 깨어있는 상태를 말한다. 깨어있다는 말은 집중하고 있다는 뜻이며, 여기서 집중한다는 것은 아주 고요한 세계에 들어가 있음을 말한다. 예를 들면 스스로에게 '나는 지금 무엇을 하는가? 나는 얘기를 듣고 있다'고 생각하며 이야기를 듣는 것이다. 듣고 있으면서 듣고 있음을 자각하는 것이 곧 깨어있다는 것이다.

지혜는 집중하는 데서 나온다. 집중한다는 것은 고민을 해결하려고 집중하는 것이 아니라 거기서 벗어나 자기 자신에게 몰두하는 것이다. 당면한 문제에 들어가지 말고 그 원인의 세계, 자기 마음속에 있는 고요한 세계에 들어가는 것이다. 그렇게 해서 내 마음이 가장 고요해졌을 때 고민에 대한 해답이 나온다. 그래서 명상은 지혜가 되는 것이다.

『선가귀감』에는 또 이런 말이 있다.

초범입성 좌탈입망자 개선정지력야超凡入聖坐脫入亡者皆禪定之力也
고운 욕구성도 이차무로故云欲求聖道離此無路

"범부에서 뛰어난 성인의 지위에 들어가며, 앉아 벗어나거나 서서 죽는 것이 모두 선정의 힘이니라. 그러므로 이르기를 성인의 길을 찾으려면 이 밖에 다른 길이 없는 것이라고 하였느니라."

불교에서 수행을 많이 하신 스님들께서 앉아 있는 상태 또는 서있는 상태로 돌아가실 때가 있다. 이것은 선정의 힘이 충실하면 육신의 생사를 자유로이 할 수 있기에 가능하다.

견경심불기 명불생見境心不起 名不生
불생 명무념 무념 명해탈不生 名無念 無念 名解脫

"경계를 보아도 마음이 일어나지起 않는 것을 불생(不生, 나지 않는 것)이
라 이름하고, 나지 않는 것을 생각이 없다無念라 이름하며, 생각이 없는
것無念을 곧 해탈解脫이라 하느니라."

번뇌나 미혹이 일어나지 않는 열반의 경지를 불생이라고 하며 같
은 말로 '무념無念'이라고 이른다. 무념은 아무런 생각이 없는 상태가
아니라 잡다한 생각을 버리고 자신에게 집중하며 깨치고 있는 것을
이르며, 집착하고 있는 것에서 벗어나 자유롭게 되는 상태를 해탈
이라고 한다.

독자 여러분은 지혜를 가지고 싶은가? 지혜는 자신에게 극히 집
중하면 나온다. 그리고 집중력을 강하게 하는 것이 바로 호흡이다.
먼저 들어가는 숨과 내쉬는 숨을 의식하면서 호흡을 해보길 바란
다. 일상생활에서 버스나 지하철을 타고 오가며 잠깐이라도 호흡하
면서, 잡다한 생각과 집착을 버리고 마음을 쉬는 훈련을 하는 것이
다. 그러면 어느덧 독자 여러분도 마음을 닦아 지혜를 얻는 선정(禪

定, 속세를 벗어난 평온한 마음의 경지)에 한 걸음 다가가고 있는 것이다.

끝으로 틱낫한 스님의 『너는 이미 기적이다』라는 책에 실린 명상에 관한 글을 소개하려고 한다.

> 불교 명상을 들여다보면 두 얼굴이 보일 것이다. 하나는 멈추는 것이고 다른 하나는 깊이 보는 것이다. 멈출 수 있으면 안정되어 집중하게 된다. 그것이 눈앞에 있는 것들을 깊이 보는 연습을 가능하게 한다. 사물의 본성을 깊이 들여다보면 그것을 꿰뚫어 알게 된다. 그 앎이 우리를 고통으로부터 해방시킬 것이다.

불교용어로 멈추는 것止과 깊이 보는 것觀을 통틀어 '지관법止觀法'이라고 한다. 지관법은 마음속에 일어나는 번뇌망상을 그치고 현상의 참모습을 꿰뚫어보는 불교의 명상방법이다.

불교의 계(戒, 계율)·정(定, 선정)·혜(慧, 지혜)의 이치 또한 지관법의 그것과 동일하다. 계와 정이 선행되어 지혜가 나오듯, 지관법 또한 차분히 들여다봄으로써 본질을 알아차리는 원리인 것이다.

예컨대 화가 나는 상황에 직면하면 멈춤의 원리에 따라 어렵더라도 화를 중지시켜야 한다. 그리고 왜 화가 나는지에 대해 집중하여 깊이 보는 원리에 따라 면밀히 들여다보아야 한다. 그렇게 되면 그 화가 아무것도 아니었음을 깨닫고 이내 분노가 누그러지게 된다.

마음이 혼란할 때는 호흡을 크게 하고 내쉬어야 한다. 그러면 호흡을 자각할 수 있고 마음이 집중되어 번뇌망상에서 벗어날 수 있다. 그렇게 되면 마음이 깨끗하게 비워지고 지혜가 나온다. 마음을 잘 다스려 사물의 이치를 헤아릴 줄 아는 지혜로운 독자 여러분이 되길 바란다.

좋은 사람을
곁에 두는 방법

『탈무드』에는 이런 말이 있다.

낯선 사람의 백 마디 모략보다
친한 친구의 말 한마디가 더 큰 상처를 남긴다.

세상을 살아가는 데는 반드시 가족이 필요하다. 돈과 명예보다
더 중요하고 우선인 것이 바로 가족이다. 삶의 행복과 고통을 함께
나눌 가족이 없다면 우리의 삶은 무의미한 삶이 될 것이다.

가족 다음으로 중요한 것은 바로 친구다. 가족은 운명적으로 만
들어지는 관계지만 친구는 자신의 선택으로 만들어지는 관계다. 서

로를 존중할 수 있는 친구, 무슨 일이든 편하게 털어놓을 수 있는 친구, 서로의 말을 가만히 들어줄 수 있는 친구가 한 명 있다는 것은 좋은 가족을 만난 것만큼 큰 복이다.

좋은 친구란 조금은 바보처럼 상대의 말을 묵묵히 들어주는 친구다. 친구가 잘못했을지라도, 잘잘못을 이야기하고 충고를 해주는 것보다 그저 묵묵히 들어주는 일이 중요하다. 자신의 이야기를 하는 친구는 대개 자기의 허물을 몰라서 털어놓는 것이 아니기 때문이다.

친한 친구 혹은 부부 사이에서 서로에게 가장 도움이 되는 말은 바로 칭찬이다. 칭찬이 사람을 변하게 하고 발전하게 한다. 서로 발전하려는 마인드로 칭찬과 격려를 주고받을 때 가족들과의 관계가 돈독해지고, 주위에 좋은 친구들이 모인다.

또한, 좋은 사람을 곁에 두기 위해서는 나부터 먼저 좋은 사람이 되어야 한다. 자신을 객관적으로 바라볼 수 있는 사람은 다른 사람에게 조롱당하지 않는 법이다. 따라서 자신의 잘못을 스스로 알아채서 언행에 모난 곳이 없도록 해야 한다. 직장에서든 어디든 항상 언행에 주의해야 한다. 가급적 아랫사람에게도 존댓말을 사용하며 서로 존중하는 마음을 가져야 한다.

이렇게 역지사지 易地思之의 마음으로, 상대방의 입장에서 생각하며 말 한마디도 신중하게 하는 것이 중요하다. 정리하자면 손쉽게

충고를 하는 대신 가만히 말을 들어주고, 항상 스스로 언행에 주의
하는 삶을 산다면, 시간이 흐를수록 온화하고 훌륭한 인품을 가진
사람들이 곁에 많이 모일 것이다.

가끔 쉬어가는
지혜

누구든지 한 번은 걸린다는 감기 한번 앓지 않고 여태껏 건강하게 살아오며 나이를 잊고 지낸 지 오래인데 얼마 전 독감에 걸려 크게 고생한 적이 있다. 조금 있으면 나아지겠지 하고 하루 이틀을 기다려 봐도 감기가 나아질 기미가 보이지 않고 청력에도 이상이 느껴져 병원을 찾아갔더니 빨리 큰 병원으로 가서 진찰을 받아보라고 했다. 큰 병원으로 옮겨 진단받았더니 치료가 늦어지면 청력에 큰 문제가 생길 수 있다며 입원을 권했다.

예상치 못하게 급히 입원하여 치료를 받으면서, 그동안의 삶을 돌아볼 시간이 생겼다. 나이가 지긋해졌음에도 젊은 시절처럼 활동하다 보니 피로가 누적되었는데, 이를 안일하게 생각해 지혜롭게 일정을 조절하지 않은 점을 반성하게 되었다. 또한, 내가 바쁘게 일할 때 뒤에서 묵묵히 힘이 되어주었던 아내와 주변 사람들의 고마움을 다시 한 번 생각하는 좋은 기회였다.

비록 아파서 병원에 입원했지만, 그 시간을 통해 '이 모든 것이 부처님의 뜻이다. 정신없이 바쁜 일상에 잠시간의 휴식을 주시고 마음의 집중을 통해 삶을 되새겨 보게끔 해주셨구나'라고 감사하게 여겼다.

독자 여러분도 지금 계획한 목표를 이루고자, 열심히 업무를 하느라 불철주야不撤晝夜 노력하고 있는가? 바쁠수록 한 템포 쉬어가며 자신의 마음에 집중해보라. 마음에 집중하면 내 삶의 중요한 부분들이 더욱 생생해지고 좋은 변화가 일어날 것이다. 변해가는 계절의 정취를 느끼며 잠시 쉬어가는 시간을 가지길 바란다.

자기 삶의
주인공이 되자

공자는 가장 사랑했던 제자 안회를 이렇게 평했다.

그는 훌륭한 사람이다. 밥 한 그릇에 국 한 그릇 먹고, 뒷골목의
오막살이가 그의 집이다. 보통 사람이면 불평할 텐데, 그는 완전히
도를 닦는 즐거움에 산다. 어쩌면 바보가 아닌가 하는 생각이 들 때도
있다. 그러나 그를 볼 때 바로 할 수 없는 품격이 있다.

한 소쿠리의 밥과 표주박의 물, 즉 단사표음單食瓢飮을 실천하다 어
린 나이에 세상을 등진 안회에 대해서 다른 제자들이 물었을 때, 공
자는 안회를 학문을 즐기는 사람이라고 칭찬했다.

그러나 안회는 가난한 생활 때문에 세상을 일찍 떠났다. 공자는 무고한 사람들을 죽이며 천하를 어지럽혔지만 제 목숨을 온전히 누리고 살았던 도척과 안회를 비교하며 "하늘이 착한 사람에게 지불하는 대가가 이런 것이란 말인가!"라고 탄식했다.

착한 사람善人이 일찍 죽고, 도척 같은 악한 사람惡人이 오히려 영화를 누리고 사는 일은 너무나 공정하지 않게 느껴진다. 그렇다면 진정한 삶이란 무엇일까?

공자는 자기가 하고자 하는 뜻대로 사는 것이 진정한 삶이라고 했고, 그것이 바로 하늘의 뜻이라고 말했다.

예를 들어 안회처럼 타인의 시선을 신경 쓰지 않고 내 뜻대로 사는 것이야말로 하늘의 도리라는 것이다.

따라서 어떤 직업을 가지더라도, 힘들고 어려운 일들이라도 기쁘게 하면 그만이다. 물론 삶의 목적은 반드시 필요하다. 나는 정신적으로 어떠한 사람이 되겠다는 마음만 있다면 어떤 일을 하더라도 상관이 없다. 자신의 생각에 솔직하고 거짓이 없는 것이야말로 가장 어렵지만 우리가 추구해야 할 방향이다.

요즘 TV에서 자연인으로 사는 사람들의 모습을 자주 볼 수 있다. 실제로 귀농을 하는 사람들이 많아지고 농촌 생활에 적응하기 위해 미리 공부하는 예비 귀농인들도 많다. 심지어 50대에 귀농하면 늦는다고 하여 40대부터 귀농을 준비하는 사람도 많다.

이들은 힘든 도시생활에서 벗어나기 위해 또는 건강상의 문제로 귀농을 선택한다. 혹은 강요된 출세주의에서 해방되어 참된 삶의 가치로 복귀하기 위해 귀농을 선택한다. 이들은 자신이 좋아하고 선택한 일이기 때문에 힘든 노동도 쉼 없이 한다. 또한, 이러한 마음으로 땀 흘려 키운 농작물을 수확하는 기쁨은 무엇보다 값지다. 이런 과정을 통해서 마음과 몸에 병을 이겨내는 힘을 얻는 모습을 보는 것은 시청자들에게도 좋은 자극이 된다.

최근 항상 챙겨보는 TV 프로그램이 또 하나 있다. KBS에서 방영하는 〈사람과 사람들〉, 〈한국인의 밥상〉이라는 프로그램인데 거기에 나오는 한 사람 한 사람이, 모두 불평 없이 삶에 만족하며 살아간다는 것을 느낄 수 있었다. 얼굴은 햇볕에 그을려 시커멓고 주름졌어도 세상 그 누구보다 만족한 얼굴을 하고 있으니 보는 사람도 함께 흐뭇해진다.

우리 사회는 출세를 위해 남들이 부러울 만한 학교, 직업, 직장을 가지려고 한다. 또, 우리는 대개 주위 소문, 환경, 조건에 의해 직업을 선택한다. 하지만 주관이 확고한 사람은 어떠한 상황에서도 흔들리지 않고 자신의 기준에 따라 이것은 옳고, 저것은 그르다는 것을 판단한다. 직업을 선택할 때도 이러한 주관적인 판단력은 매우 중요하다. 다른 사람의 인생을 무작정 쫓아가는 사람에게서는 참된 만족감과 보람을 느끼는 표정을 찾아볼 수 없다.

불교에는 '다비茶毘'라는 장례의식이 있다. 이는 단순히 시신을 화장火葬하는 것이 아니라 불교적 가르침이 담겨있는 의식이다. 화장을 통해 자연으로 돌아감으로써 죽음을 끝이 아니라 또 다른 인연의 시작으로 여긴다. 다비식은 새로운 삶으로 통하는 문인 셈이다.

다비 의식 중에는 장작더미에 시신을 놓고 태우며 "스님 집에 불이 났어요. 빨리 나오세요!"라고 외치는 의식이 있다. 이렇게 외치는 뜻은 번뇌와 망상이 꽉 차있는 곳에서 어서 뛰쳐나와 깨달음을 얻으라는 것이다.

사람에게는 자신의 마음을 깨닫는 일이 제일 중요하다. 그리고 깨달음은 자기 내면을 성찰하면서부터 시작된다. 자신이 삶의 주체가 되어 좋아하는 일을 하는 사람은 일찍이 내면을 깊이 성찰할 수밖에 없다. 그는 다른 사람의 길을 무작정 따라가지 않고, 내면적 성찰을 바탕으로 앞으로 나아가는 사람이니 남다른 용기를 가지고 있는 사람이다. 또한, 좋아하는 일을 할 때는 아무리 고생스러워도 비관적인 생각에 빠지지 않으니 고난 속에서도 다시금 용기를 내면서 앞으로 나아가는 선순환의 고리가 형성된다.

독자 여러분도 다른 사람이 만든 인생을 쫓아가지 말고 무엇을 하고 싶은지, 좋아하는 일이 무엇인지, 내면을 성찰하여 진정으로 즐기는 일을 하는 멋진 분들이 되기를 바란다.

나만의 색깔로
산다

조선일보에 작가 겸 방송인으로 한국에서 활동 중인 따루 살미넨 씨의 기사가 실린 적이 있다. 기사의 요지는 이런 것이었다.

따루 살미넨 씨는 등산을 좋아해서 가벼운 차림으로 산을 찾지만, 한국 사람들은 대개 전문 산악용품(고어텍스 의류, 고급 등산화, 장갑, 스틱 등)을 완벽하게 갖추고 산을 찾는다는 것이다. 자전거를 취미로 타는 경우에도 사람들이 다들 비싸고 좋은 장비(자전거, 헬멧, 보호대) 이야기를 하고, 가벼운 마음으로 자전거를 타려고 동호회에 들어갔다가 장비 때문에 상처를 받고 나온 사람이 꽤 있다. 캠핑도 마찬가지다. 캠핑이 아니라 거의 집을 짓는 게 아닌가 싶을 정도로 지나치게 좋은 장비를 갖추려고 경쟁한다. 한국에서는 많은 사람이 취미 생활에서까지 경쟁하고, 결국 쉬는 시간까지 스트레스를 받는다는 것이 기사의 결론이었다.

이 기사를 읽고 뜨끔하지 않을 수 없었다. 요즘 사람들은 누군가 비싼 옷을 입으면 그 옷을 따라 입고, 누가 성형을 해서 예뻐졌다고 하면 너도나도 그 사람처럼 되려고 성형외과를 찾는다. 남녀노소 빈부격차 할 것 없이 유행에 휩쓸려 어느덧 남의 기준에 따라가지 않으면 소외될지도 모른다는 강박에 빠져 있다.

유행이나 다른 사람의 라이프 스타일을 맹종盲從하는 것은 자기 개성과 주체성을 잃는 일이다. 그러므로 자신만의 길에서 행복을 찾아야 한다. 그것이 바로 창조적인 삶이다. 우리나라 사람들이 창조적인 사고를 못하는 이유는 경쟁에 매몰되어 남처럼 살려고 할 뿐 자기 삶을 개성화시키고 주체적으로 사고하는 훈련이 되어 있지 않기 때문이다.

캠핑과 같은 취미생활을 하더라도, 남들이 좋은 용품을 가지고 가는 것에 지나치게 신경 쓰지 말고 나는 내 방식대로 장비를 맞춰서 간다고 여기면 된다. 캠핑용품도 외국에는 중고용품을 파는 곳이 많으니 거기서 필요한 것을 사면 되는데 우리는 남의 시선을 의식하다 보니 비싼 용품을 사다 허리가 휜다. 결국엔 좋은 용품을 장만할 여력이 없어 좋아하는 캠핑을 포기하는 지경에 이른다. 이것이 전부 남한테 보이기식, 남 따라 하기식의 사회적 분위기 때문이다. 이런 병든 문화를 개선하기 위해서 나부터라도, 남이 어떤 방식으로 살든지 나는 내 스타일대로 살아가겠다는 사고방식을 가져야 한다.

예전에 네덜란드 이민협회 회장을 한국으로 초청한 적이 있다. 그분은 한국에 들어올 때 아주 단출하게 필요한 옷만 딱 챙겨서 왔다. 우리 같으면 어떤 때는 어떤 옷을 입을까 걱정하며 이것저것 바리바리 싸왔을 법한데 말이다. 남의 시선을 의식하지 않는 그 사람의 자유로운 모습이 얼마나 멋스럽고 세련된 것인가? 자기 개성과 주체성이 있으면 그 자체가 그 사람의 매력이 되는 것이다.

한국 사람들도 편안한 마음으로 취미생활을 즐길 수 있으면 좋겠다는 따루 살미넨 씨의 말처럼 취미생활을 할 때마저 남을 의식하지 말고 휴식과 즐거움을 1순위로 두었으면 좋겠다.

내가 바뀌어야
세상도 바뀐다

　우리는 일반적으로 이 세상이 변해야 내가 변한다고 생각하지만, 내가 변해야 세상이 변화하는 것이다. 나라는 존재는 자연환경과 사회적 관계 속에서 살아가는 존재다. 하지만 다른 사람들이나 주위환경, 다른 무엇인가가 나를 좌우한다는 생각을 하면 나는 사라지고 만다. 내가 환경을 만들고 내가 나를 둘러싼 모든 인연의 주체라는 생각을 해야 한다.

　예를 들면 마음이 괴롭더라도 어떤 상황 하나로 마음이 즐거워질 수도 있고 우울하다가도 뭔가 하나의 소소한 사건으로 마음이 밝아질 수 있다. 이렇게 조변석개朝變夕改하는 것이 사람의 마음이다.

　그런 생각을 하면, 환경이나 조건이 나를 지배한다는 생각을 하게 되지만 그 또한 잘 생각해보면 스스로 만든 것이지 외부로부터 오는 것이 아니다. 남이 나를 때렸을 때 아픈 것은 사실이지만 즐겁고 나쁘고 하는 내 감정은 바로 스스로 만든다는 사실을 알아야 한다. 즉, 내 괴로움이라는 것은 내가 만든다는 뜻이다.

나라고 하는 것은 육체만을 지칭하는 것이 아니다. 내 정신이 이 세계를 바꾸는 것이지 이 세계가 나를 바꾸는 것이 아니다. 지금 내가 생각하는 것, 그것 이외에는 진리가 없다. 우울하다고 느낄 때 우울하다고 느낀 이유가 무엇인지, 자아 성찰을 하며 생각을 바꾸면 우울한 감정이 없어지는 것이다.

인간은 누구나 자정自淨능력이 있다. 친구가 괴롭다는 이야기를 했을 때 자신만의 생각으로 충고하지 말고 친구를 다독거리고 위로해줘야 한다. 그러면 친구는 자정 능력을 발휘하여 스스로 바뀌게 된다.

만일 스스로 바뀔 수 없다면 부모, 형제, 아내 등 주변 사람들이 이끌어줘야 한다. 그렇게 하지 않고, 내가 그 친구를 직접 바꾸려고 하면 적대감이 생긴다. 내가 억지로 정화해주려고 하는 것은 진정한 충고가 아니며, 자기 스스로 자정능력을 발휘하도록 해주는 것이 진정한 충고다.

나 자신 역시 마찬가지다. 스스로 정화 능력을 발휘해야 나를 둘러싼 세상이 바뀐다. 내가 바뀌어야 하지 세상이 먼저 바뀌길 바라면 안 된다. 주체적인 관점에서 바라보면, 내가 누구 때문에 슬퍼하는 것은 그 사람 때문이 아니라 나 스스로 슬퍼진 것이다. 그렇기에 우리는 항상 즐거운 마음을 가지도록 노력해야 한다. 내가 어디가 아프면 내가 마음을 잘못 써서 그렇다고 생각해야 한다. 그것이 부모나 배우자 때문이라고 생각한다면 괴로움을 이겨내기 어렵다.

나에게 괴로운 어떤 일이 벌어진다면 내가 잘못한 것이다. 내 선택이 잘못된 것이라고 스스로에게 충고한다면, 다른 사람에게 충고를 받을 필요가 없다. 마음이 평안해지는 자각도 나 자신의 노력으로 가능한 것이다. 육체의 병이 나으려면 마음이 평안해야 한다. 마음이 안정되지 않으면 병이 생긴다. 마음이 안정되어 전혀 갈등을 일으키지 않으면, 때로는 바보같이 보이지만 실은 그런 바보야말로 진짜 성인이라는 것을 사람들은 모른다.

우리는 당장 성인이 될 수 없지만 그런 지향점에 다다르기 위해 노력하는 일이 중요하다. 마음의 평화를 얻으려면, 내가 무엇에 집중하고 있는지 수시로 자각해야 한다. 내가 무엇을 하고 있는지 놓치지 않는 것이다. 그러면 자기의 실체가 드러나고 그 실체를 알면, 마음의 안정을 얻게 된다.

이렇게 행복을 찾으려면 내가 자각하고, 내가 바뀌어야 한다. 그래야 세상이 바뀐다. 그래야 자신이 원하는 것을 현실로 만들어 나갈 수 있는 것이다.

독서삼매경의
즐거움

독자 여러분은 책을 얼마나 읽고 있는가? 한 달에 한 권 혹은 단한 권도 읽지 않고 해를 넘기는 사람들도 많이 있을 것이다.

교수 시절 하와이에서 국제 중국 철학회가 열렸을 때 150명의 학자들이 참석했고, 부인들도 동석했다. 남편들이 한참 토론할 때 부인들은 무엇을 하나 봤더니 다들 베란다에 앉아 책을 읽고 있었다. 그 사람들은 어디를 가더라도 각자 책 한 권씩은 지니고 있었다.

우리나라 국민의 하루 평균 책 읽는 시간은 6분밖에 안 되고, 한 달 평균 2권도 읽지 않는다는 조사 결과가 나왔다. 미국 평균이 6.6권이고, 일본은 6.1권으로, 다른 나라들에 비하면 턱없이 낮은 수준이다.

우리나라 사람들이 배려가 부족한 것은 책을 읽지 않는 데서 기인했다고 본다. 책을 집필한다는 것은 작가가 자기만의 독특한 개성을 갖고 있기 때문이고, 독서는 다른 사람의 세계를 알아가는 것이다. 책을 읽으면서 주인공의 기분이나 작가의 의도, 느낌, 생각을 파악하고 다른 사람의 입장을 공감하고 배려하는 마음을 가지게 된다. 그래서 책을 읽지 않으면 공감 능력이 떨어지기 쉽다.

우리가 타고난 육체는 모두 생김새가 다르고 같을 수 없지만, 생각은 하나로 합쳐질 수 있다. 사람의 마음은 항상 변할 수 있으므로, 의견이 달랐다고 하더라도 서로 조율하여 이해할 수 있다. 다른 사람이 쓴 책을 보고 감동해 그의 관점을 받아들이고자 한다면 자신이 변화되고, 타인을 배려할 줄 아는 사람이 되는 것이다.

요즘 자기계발 서적을 보면 모두가 마음을 내려놓으라고 얘기하고 있다. 사람들은 어떻게 마음을 내려놓느냐고 반문한다. 여기에 답하자면 마음을 내려놓는 것은 결국 집착을 버리라는 말이고, 집착을 버리고자 한다면 하나에 집중해야 한다. 이것저것 생각하는 것이 혼란을 가져오고, 혼란과 번뇌가 생겨나 집착하게 된다.

따라서 번뇌를 없애고 마음을 내려놓기 위해서는 집중해야 하는데 독서는 집착을 버리고 집중할 수 있는 아주 좋은 방법의 하나다. 평소 우리는 독서 삼매경이라는 말을 자주 하는데 '삼매三昧'는 잡념을 버리고 오직 한 가지에만 정신을 집중하는 것을 말한다. 독서를 할 때는 마치 삼매의 경지에 든 것처럼 하나에 온전히 몰두해야 하기 때문이다.

독서삼매경에 빠지고 싶다면 책을 깊이 있게 정독해야 한다. 즉, 책을 읽을 때에는 단순히 글자만 읽는 것이 아니라, 스스로 공부하며 읽어 나가야 한다. 표면적인 뜻만을 해석하고 글을 외우는 것에 만족하여 독서를 끝마치면 안 된다. 한 권의 책을 온전히 내 것으로 만들기 위해서는 책에 숨겨진 깊은 뜻을 이해하고, 이를 마음속에서 실험하고 실제로 행하여야 한다.

'학이시습지學而時習之면 불역열호不亦說乎'라는 말이 있다. "배우고 때때로 그것을 익히면 또한 기쁘지 아니한가?"라는 뜻이다.

한 권의 책을 읽더라도 읽는 것에만 그치지 않고, 책에 숨겨져 있는 속뜻과 내 마음을 비교하며 읽어야 한다. 이렇게 읽은 한 권의 책은 곧 만 권의 책을 읽은 것과 같은 이익을 가져다준다.

마음의 내공을 쌓는 방법은 결국 다독多讀이 아니라 정독精讀이다. 여러 권의 책을 읽으면 식견을 넓히는 데 좋지만, 마음공부의 차원에서는 굳이 다독에 얽매일 필요가 없다. 만약 책을 많이 읽는 것이 힘들다면, 신앙을 가진 사람의 경우 성경을 보거나 불교의 경전을 반복해서 읽고 쓰는 것도 많은 도움이 된다. 성경과 같은 경전을 외우고 쓰다 보면 저절로 집중이 된다. 글귀를 읽고 감동을 받기도 하고 자기를 반성하기도 하며, 모르는 글이 있으면 반복해서 읽기도

하면서 책 속의 진리를 스스로 깨닫게 되는 것이다. 이처럼 독서를 많이 한다는 것이 꼭 새로운 책을 많이 읽는 것이라고 생각하지 말아야 한다. 한 권의 책을 보더라도 제대로 된 독서가 더 중요하다.

성공한 사람들의 삶에는 독서습관이 자리 잡고 있다. 빌 게이츠도 하버드 졸업장보다 소중한 것이 독서 습관이라고 말했다. 그는 2015년 한 해에만 54권의 책을 읽었다고 한다. 바쁜 일상에 쫓겨 자신의 정체성마저 잃어가는 오늘날, 독서는 다양한 생각을 접하고 성장의 싹을 틔울 수 있게 해준다는 점에서 한층 더 중요하다.

한편, 독서 노트를 만드는 것도 독서의 즐거움을 배가시키는 좋은 습관이다. 나는 지금까지 읽은 책들을 모두 독서 노트에 기록해 두었다. 독서 노트에는 책의 줄거리를 적는 것이 아니다. 가장 중요하다고 여겨지는 구절만을 기록하는 것이다. 가끔 꺼내어 읽어보면 책을 읽었을 때의 기억들이 새록새록 살아난다. 독서 노트를 쓰면 책을 통해 배웠던 것, 느꼈던 것을 몇 번이고 되새기면서 오래도록 기억할 수 있다. 또 독서 노트를 통해 책을 읽을 당시에는 알지 못했던 새로운 의미도 깨달을 수 있다.

독자 여러분도 독서를 통해서 그리고 가급적 독서 노트를 기록하면서, 세상을 보는 눈과 삶의 지혜를 배운다면 예전과는 확연히 달라진 새로운 자신을 만날 수 있을 것이다.

철학을 통해
삶의 의미를 찾자

철학philosophy을 쉽게 풀어 이야기하면 '지혜를 사랑하는 학문'이라고 할 수 있다.

본래 희랍(希臘, 그리스)에서 유래한 서구의 지혜란 자연과 물질의 근원을 찾는 것을 의미한다. 서양철학의 원천이 자연주의 철학에 기반을 두고 있는 것도 그러한 이유에서이다. 자연주의 철학의 발전된 형태는 독자 여러분도 잘 알고 있는 소크라테스의 철학이다. 그가 남긴 "너 자신을 알라"는 말은 인간에 대한 탐구가 시작된 출발점이기도 하다.

인간은 크게 물질적인 육체와 정신적인 영혼으로 이루어져 있다. 인간의 육체는 자연의 물질 중 하나이기 때문에 먹고 배설하는 등의 기본적 행위를 통해 생명을 유지한다. 반면 정신적인 영혼은 생각과 관련이 깊다. 밥을 먹어야 한다는 생각, 후회하고 잘못했다는 생각, 옳다는 생각 등 인지하고 생각하는 것은 정신적인 세계에 포함된다.

이렇게 물질의 본질을 탐구하는 것은 과학으로, 영혼에 대한 심층적인 연구는 철학으로 발전했다. 즉 철학의 근원은 영혼에 있다는 기조가 근대철학까지 이어졌다. 우리가 잘 알고 있는 칸트나 쇼펜하우어 등도 인간 본연의 모습을 연구했던 대표적인 학자들이다.

그러나 과학이 발전하면서 철학도 과학적으로 설명할 수 있어야 한다는 과학철학자들이 등장하기 시작했다. 이때부터 철학의 대표적인 이론이었던 인식론도 주춤하게 되었다. 하지만 오늘날의 철학은 다시 인간의 고향인 영혼을 찾아야 한다는 목소리를 내고 있다. 끝없이 물질을 원해도 인간은 충분히 만족할 수 없기에 나 자신을 반성하고, 내가 누구냐는 질문을 이어가며 형이상학의 철학을 재건해야 한다는 것이다. 즉, 충만한 행복을 얻으려면 먼저 나를 지배하고 있는 영혼의 세계가 무엇인지 계속 눈여겨봄으로써 일상 속에서 철학을 실천해야 한다.

또 한 가지 방법은 철학책을 읽는 것이다. 사실 철학책은 사유의 표현이 주를 이루기 때문에 단번에 그 의미를 알아차리기는 어렵다. 사유를 따라가는 것이 그리 쉬운 일이 아니기에 알쏭달쏭하고 알 듯 말 듯한 기분이 들기도 한다. 그러나 진득하게 앉아 꼼꼼하게 읽고 모르는 것이 있으면 사전을 찾아보는 노력을 겸한다면 그 과정에서 성찰을 얻을 수 있다. 플라톤의 『심포지엄』, 『향연』, 『이상 국가』 등은 영혼의 문제를 깊이 있게 다루고 있으며, 이러한 책들을 읽음으로써 깊이 있는 정신세계를 얻을 수 있다.

철학은 무엇보다 인생의 의미를 찾아내는 일이다. 미국의 학자 브라우닝이 "인생은 의미를 가지고 있으며 의미를 찾아내는 것이 나의 즐거움이다"라고 이야기했듯이 무의미한 생활을 반성하고 사고의 흐름을 인지하는 과정을 통해서 삶의 의미를 찾을 수 있다.

마지막으로 철학은 사물의 진상을, 그리고 가장 중요한 것을 일소(一笑)에 부치는 법을 배우고 훈련하는 것을 의미한다. 사유를 거듭하며 어렵게 여겼던 문제들을 가벼이 여길 수 있듯이, 그 과정에서 죽음이라는 가장 두렵고 큰 문제에 미소로 대응하는 법을 배우는 것이다.

결론적으로 나는 철학의 범주를 삶에서 가장 귀중한 희열, 운명, 죽음, 지혜, 영혼, 사랑과 같은 우리 인간의 삶을 더욱 풍족하게 하는 말들로 요약하고 싶다. 독자 여러분도 철학을 단지 어려운 학문으로만 치부하지 말고 이 여섯 가지 개념을 깊이 공부하면서 영혼의 세계를 가득 채우길 바란다.

고통을
마주하는 방법

살다 보면 즐거움도, 괴로움도, 고통도 있다. 병이 나서 큰 수술을 해야 하는 등 우리가 살아가면서 원치 않아도 어쩔 수 없이 겪게 되는 일들이 많다. 사람들 대부분은 어떤 사건·사고가 자신에게 일어나면, 왜 나에게만 이런 일이 생기는 것일까 하고 절망한다. 그러나 실상 이 세상을 살아가는 누구에게나 고통은 존재한다는 것이 엄연한 현실이다.

세상을 비관하고 남을 비난하는 사람은 어려움을 극복하기 더욱 어렵다. 살다 보면 벗어날 수 없는 운명적인 고통이 있기 마련이다. 부귀를 누리는 사람들은 그런 괴로움 없이 행복한 것 같지만, 행복은 비단 지위나 물질로만 결정되는 것이 아니다. 자기 내면의 질이 항상 근본적인 문제인 것이다.

우리에게 닥친 모든 운명이, 경제적으로나 육체적으로나 정신적으로 우리를 고통스럽게 하더라도 이 모든 것들이 나를 성숙하게 하는 과정이라고 생각하는 일이 매우 중요하다.

손톱 밑을 잘못 건드려서 생손 앓이를 할 때가 있다. '남의 염통 곪은 것보다 내 손톱 밑에 가시가 더 아프다'는 옛 속담처럼 다른 사람이 큰 고통을 겪어도 나의 작은 아픔이 더 크게 느껴지는 것이 인간이다. 그러다 보니 착각을 하기 쉽지만, 안 좋은 일이 나에게만 생기는 것 같아도 모두가 그런 힘든 과정을 극복해나가고 있는 것이다.

긍정적인 생각과 마음가짐이 현실적으로 내 아픔과 어려움을 해결해주지는 않지만, 그럼에도 극복할 수 있다고 낙관적으로 생각하는 것은 늘 필요한 일이다. 그래야 힘을 낼 수 있는 엔도르핀이라는 호르몬도 나오고 삶의 활기도 찾을 수 있다. 고통이 닥치면 나만 불행하다고 비관하지 말고 내가 언젠가 겪어야만 할 일이 닥쳤다고 생각해야 한다. 그리고 그것이 내가 더 좋은 길을 가기 위한 새로운 변화라고 여기며 마음을 고쳐먹어야 한다.

다음은 유명한 정신분석의인 브라이언 와이스가 자신의 환자 캐서린의 전생 요법을 통한 치료 과정에서 얻은 기록을 정리한 책 『나는 환생을 믿지 않았다』에 나오는 말이다.

인내와 기다림… 모든 것은 때가 되어야 이루어집니다.
인생이란 서둘러 꾸려나갈 수 없고, 많은 사람들이
바라는 것처럼 계획한 대로 진행되지도 않습니다.
우리는 정해진 시간에 우리에게 다가오는 것을
받아들여야 하며, 그 이상을 바라서는 안 됩니다.
그러나 삶은 끝이 없기에 우리는 결코 죽지 않습니다.
우리는 태어난 것이 아닙니다.
우리는 그저 변화의 여러 국면 속을 지나가는 것입니다.
끝은 없습니다. 인간은 여러 차원 속을 살고 있습니다.
시간은 우리가 보는 것과 같지 않습니다.
시간은 우리가 얻은 가르침 속에 있습니다.

이처럼 우리는 그저 무의미하게 이 세상을 살아가는 것이 아니다. 우리는 각자 직업도 천차만별이고, 재능도 모두 다르다. 삶의 형태가 모두 다르듯이 각자가 경험하고 체험하는 것도 당연히 모두 다르다. 지금 당장은 저 사람은 행복해 보이고 나만 불행해 보이겠지만 내가 겪는 모든 것이 변화의 여러 국면 속을 지나가는 것이라고 확고하게 생각한다면 무엇이든 극복해나갈 힘이 생길 것이다.

세상을
소요하면서 살자

공자孔子는 하늘에서 받은 인간의 본질이 있다고 주장하였는데, 그 본질이란 바로 선善과 사랑이다. 이때 선은 다른 말로, 인仁이다. 그래서 인간의 목표는 인을 실천함에 있다는 것이 공자의 중심사상이다.

한편 노자老子와 장자莊子는 인간은 나름대로 각각 자신의 사는 방법이 있는데, 그것이 바로 무위자연無爲自然이라고 이야기했다.

노장사상老莊思想은 도가의 중심인물인 노자와 장자에 의해 형성된 사상을 의미한다. 도가는 봉건적 신분제도를 도덕적으로 확립할 것을 이상으로 여기는 공맹의 예치주의 사상에 반대하고, 자연의 도 즉, 자연법칙을 이해하고 잡다한 인간적인 일들을 초월하는 생활을 주장하였다. 쉽게 설명하자면 유교적인 삶은 규칙과 원칙을 지켜야 하는데 모든 것을 지키며 사는 것이란 인간으로서 매우 고달프기 때문에 자연과 하나 되어서 자연스럽게 살자는 것이다.

이를 구체화시킨 것이 장자의 『남화경南華經』이라는 경전인데 그 첫 장의 내용이 '소요유逍遙遊'이다. 소요유란, 바라는 것 없이 노닌다는 뜻으로 아무런 의미 없이 노는 것이 아니라 자기 자신이 자연과 일치가 돼서 노는 것이다.

장자는 인간이 누릴 수 있는 절대 자유의 경지를 이야기하면서 소요유를 시작한다.

북해에 물고기가 있는데 그 이름은 곤鯤이라고 한다.

곤의 크기는 몇천 리나 되는지 알 수 없다.

곤이 새가 되면 붕鵬이라고 하는데,

이 붕새의 넓이는 또한 몇천 리나 되는지 알 수 없다.

날개를 펼쳐서 힘차게 날면, 그 날개는

마치 하늘 가득히 펼쳐져 있는 구름과도 같았다.

이 새는 바다 기운이 움직이면 남해南海로 날아간다.

붕이 남해로 갈 때면 날개가 일으키는 파도가

삼천리에 달하고 그에 따라 일어나는 바람은

구만리 상공까지 이르는데

그 새는 6월의 바람을 타고 날아간다.

매미와 비둘기가 붕을 보고

우리는 날아서 느릅나무까지 올라갔다가 내려올 수 있는데,

저것은 한 번에 구만리 상공까지 가는구나.

하지만 아무리 붕이라도

바람 없이 그렇게 날 수 있겠느냐 하였다.

이 말은 즉, 크디큰 붕도 무엇에 의존하지 않으면 날 수 없고 의존하지 않으려면 바로 나라는 자아가 천지 만물 속에 융합되어야 한다는 것이다. 그것이 바로 지인至人이며, 바람 정도가 아닌 우주의 정기를 받아 자연의 변화에 순응하여 무궁한 경지에서 노니는 자에게는 어떤 기다림도 없고 의존할 것이 하나도 없다는 말이다. 또, 이런 말도 있다.

지인무기至人無己 신인무공神人無功 성인무명聖人無名

지극한 경지에 이른 사람은 자기가 없고, 신의 경지에 이른 사람은 자기의 공을 전혀 의식함이 없으며, 성인은 명예에 대한 생각이 없다. 바로 순수한 자연인 그 자체이다.

장자는 작은 알에서 물고기를 거쳐 붕새가 되어 창공을 자유롭

게 나는 이야기를 통해 우리 인간도 노력하면 자신을 변화시켜 절대 자유를 누릴 수 있다고 말하고 있다. 장자가 추구하는 무위자연의 삶은 개인의 지나친 욕망과 감정을 모두 내려놓고 자연의 모습으로 돌아가는 데에 있다. 자신을 의식하지 않고 자연과 일체가 되어 살아가는 것이 인간의 참된 본성에 부합하기 때문이다.

독자 여러분도 다람쥐 쳇바퀴 돌 듯 일상이 답답한 마음이 들면, 한 번쯤 욕망의 질주를 멈추고 천지자연의 순리를 탐구하며 현실을 초월해 사는 무위자연의 삶을 통해 휴식해보는 시간을 가졌으면 한다. 그러면 어느새 찌든 일상에서 벗어나 자연과 하나 된 세계를 느끼며 편안한 마음으로 소요하듯 싱그러운 하루하루를 살아갈 수 있을 것이다.

긍정의
두뇌 혁명

서양의학과 한의학을 전공한 의사 하루야마 시게오가 저술한 『뇌내혁명』이라는 책이 있다. 1999년도에 발간된 이 책은 총 3권으로 나뉘어 있다. 그중 제2권은 마음과 육체가 하나라는 동양의 일원론一元論을 대전제로 하여 뇌와 몸을 활기차게 만들기 위한 방법을 실천을 통해 규명하려는 노력이 담겨있다.

특히 저자가 우리의 인생을 근본적으로 바꿔놓을 방법으로 제시한 것이 바로 플러스 발상, 즉 긍정적인 발상이다. 저자에 의하면 우리가 긍정적인 생각을 할 때 우뇌에서 모르핀morphine이라고 하는 성분이 분비되어 몸과 마음이 바람직한 방향으로 나아갈 수 있게 된다고 한다. 예를 들어 오랫동안 뵙지 못했던 어머니와 재회하는 상상을 하거나 수학시험에서 백 점 맞았을 때의 기쁨을 상상하는 등 인생에서 누릴 수 있는 아주 큰 즐거움을 생각하면 우리의 몸이 반응하여 마음이 밝아지고 힘이 차오르게 되는 것이다.

지금 행복해지기 위한 가장 중요한 요소도 긍정적인 마음을 갖는 것이다. 상황을 긍정적으로 바라보는 자세가 바로 행복의 출발점이 되는 것이다.

그러나 한편으로, 혹자는 부정적인 시각을 갖는 것이 오히려 개인이나 사회를 발전시킬 수 있다고 주장할 수도 있을 것이다.

과거의 유명한 철학자들인 쇼펜하우어, 니체, 헤겔, 마르크스까지 모두 사안을 부정적으로 바라보았기 때문에 사회변화의 동기를 제공할 수 있었다는 의견들이 있다. 물론 그들의 비판적이고 부정적인 사고로 사상적 발전이 이뤄진 것은 사실이지만 개인의 행복이라는 관점에서만 바라보면 스스로 일궈낸 업적에 비해 사상가 자신은 그에 비례할 만큼 행복하지 못했던 것도 사실이다.

행복의 척도는 긍정적인 사고를 갖는 데 있다. 심리학에서도 긍정심리학이라는 분과학문이 생겨났고, 세계적으로도 많은 연구가 이뤄지고 있다는 점에서도 알 수 있듯이 긍정적인 사고는 우리의 마음을 건강하게 가꾸고 행복을 느낄 수 있게 만든다.

긍정적인 생각, 즐거운 생각은 명상의 시작점이기도 하다. 멍하니 앉아있는 것이 아니라 좋은 생각을 하는 훈련을 계속하다 보면 번뇌를 없애고 무념無念의 세계에 도달할 수 있게 된다.

인간은 아무것도 생각하지 않을 수 없다. 생각하지 말자고 생각하는 것 또한 생각이 일어난 것이기 때문이다. 하지만 불교에서 생각하지 않는다는 것은 생각에 집중한다는 것과 일맥상통一脈相通한다. 이렇듯 즐거운 생각에 집중하다 보면 잡념이 없어져 궁극적인 질문인 '나는 누구인가?'라는 화두까지 나아갈 수 있다.

그러므로 우리가 가장 힘써야 하는 것은 다름 아닌 긍정적인 마인드를 바탕으로 집중력을 기르는 것이다. 불교에서는 집중력을 기르기 위해 앞서 말한 수식관이라는 호흡 기법을 사용한다. 호흡을 들이쉬고 내쉬는 것을 의식하고 헤아림으로써 마음이 안정되고 온몸이 편안해질 수 있는 것이다. 가령 무더운 날씨가 이어질 때, 덥다는 생각에 얽매여 있지 않고 가만히 앉아서 호흡을 가다듬으면 이내 몸과 마음이 차분해질 것이다.

또한 하면 된다는 긍정적인 믿음을 갖고, 하고자 하는 일에 집념을 갖고 집중한다면 실제로 그것을 이루어내는 경험도 할 수 있다. 나 역시 과거에 어떤 사람을 꼭 만나고 싶어 간절한 마음을 갖고 그 사람이 다니는 길을 수 없이 오간 적이 있었고 결국 만날 수 있었다. 긍정적인 생각으로 품었던 희망이 텔레파시로 이어졌던 그날을 계기로 긍정적인 생각이 살아가는 데 얼마나 중요한지 깊이 깨닫게 되었다.

옛말에 '일소일소 일로일로 笑少 怒老'라는 말이 있다. 한 번 웃을 때마다 한 번 젊어지고 한 번 성낼 때마다 한 번 늙는다는 이 격언의 뜻처럼, 독자 여러분도 긍정적인 생각으로 두뇌혁명을 일으켜, 항상 즐겁고 이루고자 하는 바에 집중하는 힘을 얻길 바란다.

사랑과 희망의
이중주

다음 글은 성인聖人 반열에 오르신 성 테레사 수녀님의 말씀이다.

가장 큰 병은 결핵이나 문둥병이 아니다.

아무도 돌보지 않고 사랑하지 않고 필요로 하지 않는 것.

그것이 가장 큰 병이다.

육체의 병은 약으로 치유할 수 있다.

그러나 고독과 절망과 좌절의 유일한 치료제는 사랑이다.

세상에는 빵 한 조각 없어서 죽어가는 사람들이 많지만

작은 사랑이 없어서 죽어가는 사람이 더 많다.

전반적인 생활 수준이 향상됨에 따라 굶고 병들어 죽는 사람은 많이 줄었지만, 사랑이 없어서 죽음에 이르는 사람은 점차 늘고 있다. 자살과 우울, 좌절 등은 모두 사랑이 없어서 겪게 되는 증상들이다. 사랑이 없으면 야망이 사라지고, 심지어는 자신을 쓸모없는 사람으로 인식하고 좌절한다.

물론 고독과 절망, 좌절이 무조건 나쁜 것만은 아니다. 고독은 때때로 복잡하고 어지러운 세상 속에서 나를 지키기 위한 수단이 되기도 한다. 절망과 좌절의 순간 역시 자만을 경계하고 부족함을 알아가는 기회를 제공한다. 문제는 이러한 감정들에 너무 깊게 빠져 헤어 나오지 못할 때 발생한다. 자신의 삶에 사랑이 있는 사람은 절망의 순간에 직면했을 때 오히려 그것을 기회로 삼고 앞으로 나아가려 노력하지만, 그러지 못한 사람들에게 절망은 그저 쓰라리고 영원한 고통일 뿐이다.

이와 같은 극한의 위기 상황에 직면했을 때 가장 필요한 것이 바로 사랑이다. 그리고 그 사랑은 어떤 일이든 희망을 품는 것에서부터 시작할 수 있다. 희망이라고 하면 거창한 일이 이루어질 가능성이라고 생각하지만 사실 희망은 크고 반짝이는 것에만 있지 않다. 우리가 생각을 바꾼다면 모든 것은 희망이 될 수 있다. 나의 경우, 재단에 출근하는 것에도 점심을 먹는 것에도 희망을 부여한다. 재단에 출근해서 열심히 일할 수 있다는 사실도, 일을 마치고 맛있는 식사를 할 수 있다는 사실도 나에게는 언제나 희망으로 다가온다. 이처럼 반복적으로 하는 일에도 희망을 갖고 임하면 날마다 새롭고 즐거울 것이다.

고독과 절망, 좌절과 같은 부정적은 생각은 모두 우리가 만들어 낸 것이다. 하지만 우리는 이것을 희망으로 변화시킬 수 있다. 그러니 희망을 너무 먼 곳에서 찾지 않길 바란다. 거울을 보며 행복한 사람이라 주문을 거는 것으로 하루를 시작하고, 늘 긍정적인 생각을 하려고 노력하며 지금 맞이한 삶을 사랑하라. 이러한 사랑과 희망의 이중주로 행복한 삶을 이어나갈 수 있는 것이다.

지금 여기서
찾아라

중국 홍주의 황벽黃檗 스님의 말씀을 옮겨 적은 『전심법요傳心法要』
의 한 구절을 소개하고자 한다.

사불멱불使佛覓佛하며 장심착심將心捉心하면
궁겁진형窮劫盡形하여도 종불능득終不能得이라.

"부처를 사용해서 부처를 찾으며 마음을 가져서 마음을 찾으면 세월
이 다하고 이 몸이 다하도록 마침내 얻을 수 없다."

우리는 때때로 어떤 목적을 실현하기 위해 거창한 일을 계획하곤

한다. 부처의 마음을 알기 위해 많은 사람들이 네팔까지 찾아가 수행에 임하는 것이 그 예가 될 수 있다. 그러나 진정으로 부처가 되고 마음을 깨우치기 위해서는 지금 이 자리에 있는 내가 누군지를 깨닫고, 이 순간의 내가 곧 부처라는 마음가짐이 필요하다.

내 마음이 곧 부처라는 생각 없이 수단을 이용해서 목적을 이루려는 시도는 시간만 허비할 뿐 우리가 원하는 것을 진정으로 이룰 수 없다. 악을 저지르는 것도, 선을 행하는 것도 모두 나의 모습이라는 것을 깨쳐야 그다음 행위가 지속적인 선으로 이어져 진정한 부처가 될 수 있는 것이다.

부처가 되는 길은 먼 곳에 있지 않다. 지금 여기에서 내 마음이 곧 부처라는 것을 깨닫고, 참선을 통해 내가 누구인가를 끊임없이 인지하고 찾아가는 공부를 이어간다면 분명 성인의 경지에 이를 수 있을 것이다.

마음이 건강한
삶

　건강의 비결은 우선 마음을 편안하게 하는 데 있다. 그러나 마음의 평안을 얻기란 좀처럼 쉽지 않다. 그 이유는 사람의 마음이 늘 변화하기 때문이다. 마음이 편안해지려면 마음의 변화 그 자체를 잘 관찰해야 한다. 어떠한 생각이 일어나더라도 그것을 해명하려 하지 말아야 한다. 그 생각이 어떤 것일까 관찰만 잘해도 나를 자극하던 희로애락의 감정들이 사그라지기 때문이다.

　내가 깊은 인연으로 매년 만나던 스님이 계시는데, 건강이 매우 안 좋으시다는 이야기를 듣고 서둘러 찾아뵌 적이 있다. 이 분은 어렸을 때 출가하셔서 지금까지 오롯이 혼자 살아오신 분이다. 그런데 이제는 중환자실을 들락거리고, 누워서 식사도 제대로 드시지 못해 몸은 마르고 뼈만 남은 모습을 보자 마음이 아팠다. 평생 절에서 수행하신 총명한 스님께서도 죽음 앞에서는 어찌할 도리가 없구나 하는 생각이 들었다.

비록 이처럼 몸의 건강은 자연의 섭리에 따라서 노쇠해가는 것이지만 마음의 건강은 우리의 노력 여하에 따라 유지해나갈 수 있다.

우리는 늘 허상에 빠져 산다. 본래 태어났으면 죽는 것이 정상인데, 사는 것은 행복이고 죽는 것은 불행이라고 생각한다. 그러나 근본적으로 숨을 들이셨다 내쉬는 것은 사는 것이고, 들이셨다 내쉬지 못하면 죽는 것이다. 이렇게 본다면 사는 것이나 죽는 것은 큰 차이가 없다. 그런데 우리는 사는 것에만 집착하고, 죽는 것을 큰 불행으로 생각한다.

따지고 보면 사는 것이나 죽는 것은 허상이며 텅 빈 것이고 일종의 거짓말이다. 우리는 대개 삶과 죽음을 구분하는 통상적인 생각에 갇혀 있다. 그러나 사는 것은 밝은 것이고 죽음이란 어두운 것이라고 이야기하지만 죽음은 단지 밝은 것이 사라지는 것뿐이다. 죽음은 밝은 것이 사라진 것이요, 삶은 어두운 것이 벗겨진 것일 뿐이다.

또 다른 예를 들면 우리는 선과 악을 구분하지만, 사실은 이 세상에는 선도 악도 없다. 나의 이해관계에 따라 선과 악을 따질 뿐이다. 자신에게 감정적인 행동과 자극적인 말을 하는 사람들은 나쁜 사람이고, 반대로 즐겁게 하고 아부하는 말을 하면 좋은 사람이라고 하는 것이 우리가 선과 악을 구분하는 기준이다. 하지만 본질적으로는 선이 독립적으로 있는 것이 아니요, 악도 완전히 독립적으로 존재하는 것은 아니다.

악이 선이 될 수 있고 선이 악이 될 수도 있다. 악이 없는 것이 선이고, 선이 없는 것이 악이다. 어둠은 밝은 것이 없어진 것이고, 밝은 것은 어둠이 없어진 것일 뿐 둘은 대립되지 않으며 함께 있다.

우리네 삶은 어떤 면에서 감정의 꼭두각시에 불과하다. 감정은 희로애락으로, 보고 듣고 말하고 느끼고 접촉하는 데서 어떠한 생각이 일어나는 것이다. 그런데 좋은 생각이든 나쁜 생각이든 즐거운 생각이든 고통스러운 생각이든, 그 생각이 일어나는 근원을 살펴본다면 일어나는 생각을 사라지게 할 수 있다. 그것이 바로 분별심이 없어지는 것이다. 망상에 사로잡혀서 모든 현상을 나누고 구분하는 마음에서 벗어나 깨달음에 이르려면 분별심을 놓아야 한다.

현실세계에서 현상을 파악하는 데에는 분별이 필요하기도 하지만, 이러한 분별심을 없애려 노력한다면 그 과정에서 훌륭한 깨달음을 경험하고 건강한 삶을 영위할 수 있을 것이다.

황혼녘에 깨닫는
인생의 지혜

　최근 한 잡지사로부터 '늙어감'을 주제로 수필을 써달라는 요청을 받았다. 수필을 써 내려가면서 지나온 세월을 회상해보기도 하고, 앞으로 남은 생은 어떻게 살아야 할지 고민하다 보니 독자 여러분에게도 나의 이야기를 들려주고 싶다는 생각이 들었다. 그래서 잠깐 내가 걸어온 길을 함께 돌아보고자 한다.

　20대에는 정말 아무런 두려움이 없었다. 학문을 하겠다는 것 이외에는 아무 뜻이 없었던 것이다. 돈이 없어도 없는 줄 모르고, 크기가 작을지라도 내가 거처할 방이 있었기에 어떤 부족함도 느끼지 못하고 지냈다.

　30대에는 위대한 철학자가 되겠다는 열망으로 가득 찼었다. 그러던 중 결혼하고 아이를 낳으니 경제관념도 생기기 시작했다. 다행히 박사학위를 마치고 모교의 교수가 되어 학문적 욕구와 현실의 요구 모두를 충족시킬 수 있었다.

그러나 30대 중반 즈음, 단 한 번도 겪어본 적 없었던 절망의 순간과 마주하였다. 교수 시절 유교를 비롯한 서양철학, 불교, 심리학 등 다양한 학문을 학생들에게 가르쳐야 했다. 지식의 양이 많아 매일 밤을 꼬박 새워 강의 준비를 했지만 나는 단지 지식의 매개자 역할을 할 뿐 그렇게 얻은 지식이 나를 변화시키지 않는다는 거대한 절망에 빠졌다.

좀처럼 희망이 보이지 않았던 그때, 평소 존경하던 스님을 따라다니며 일주일에 한 번씩 강의를 듣고 철야정진徹夜精進을 하기 시작했다. 오랫동안 수행에 매진한 끝에 진정한 공부는 앎에서 그치는 것이 아니라 종교적 귀의를 통해 실천해야 한다는 것을 깨달았다. 그리고 마침내 깊은 절망에서 헤어 나올 수 있었다.

40대에 접어드니 본격적으로 사회적 활동을 해야겠다는 결심이 섰다. 몸담고 있던 학교를 발전시키고 사회적 개혁이나 변화를 요구할 수 있는 위치에 올라 내 목소리를 내고 싶다는 욕구를 느꼈다. 그러면서 학문과 사회활동을 겸업하였다.

여러 보직을 거쳐 50대 초가 되니 대학교의 총장을 해야겠다는 야망이 생겼다. 그런데 첫 시도에는 총장에 당선되지 못했다. 그때가 인생에서 맞이한 두 번째 절망이었다. 그러나 30대에 겪었던 절망과 달랐던 것은 낙선이라는 절망이 희망으로 다가왔다는 것이다. 즉, 내게 표를 주지 않았던 사람들을 사랑할 줄 아는 마음이 생겼다. 그리고 당선되지 못한 이유는 과거의 많은 잘못과 생각, 행동들 때문이고 이 때문에 벌을 받은 것으로 마음을 정리하고 나니 죄업罪業이 없어지고 마음이 깨끗해졌다. 이처럼 지난 시간 동안 공부와 수행을 통해 길러온 내공이 빛을 발하여 다음 선거에서는 총장에 당선되었다.

8년간의 총장직을 끝으로 60대에는 정년퇴직을 맞이했다. 그런데 그때, 일종의 분노가 나의 마음속에 자리 잡기 시작했다. 지금까지 이루었던 것들로 인해 명예가 높았는데, 퇴직으로 일순간 낭떠러지에 떨어진 것 같은 허망함을 느꼈다. 그것이 아마 세 번째 절망이 아니었나 싶다.

지금 돌이켜보면 그때는 권력의 맛에 취해서 갑작스럽게 생긴 공백이 더욱 크게 느껴졌던 것 같다. 이러면 안 되겠다는 생각에 다시 공부를 시작했고 2년 정도 꾸준히 공부하니 정상적인 생활로 돌아올 수 있었다. 공부를 통해 명예와 권력은 정말 아무것도 아니라는 것을 깊이 깨달았고, 분노와 허탈감을 잠재우고 내 마음에 있던 헛된 욕심을 버릴 수 있었다.

70대 후반에 이른 지금은 생로병사生老病死의 의미를 이해하게 되었다. 인생 8부 능선에 와보니 그때그때 느끼는 것들은 절대적인 것이 하나도 없었다는 사실을 깨달았다. 그리고 '궁즉변 변즉통窮則變 變則通'이라 벼랑 끝에 몰리면 반드시 변하게 되어 있으니, 변화를 적극 도모하면 통하게 되어 있음을 여러 경험을 통해 절실히 느꼈고, 그 어떤 위기가 와도 극복할 힘이 생겼다.

독자 여러분 앞에도 수많은 절벽이 놓여 있을 것이다. 그럴 때는 지금까지 해오던 것들을 멈추고 새로운 방법을 찾아야 한다. 어떤 요소를 통해 변화를 도모할지 알기 위해서는 자기 자신에 집중하고 마음을 편안하게 해야 한다. 그때 직관이 생기고 변화의 방법을 찾을 수 있다.

순간순간 마주하는 절벽 앞에서 자기 집중을 통해 방법을 찾아 나가길 바란다. 그리고 지금 이 순간 여러분을 힘들게 하는 것들은 결코 영원한 것이 아님을 깨닫고 바꾸어 나가려고 노력한다면 어떤 절벽이 나타나더라도 현명하게 극복할 수 있을 것이다.

2부

강한 사람으로
거듭나기

자기 능력을
잘 파악하자

다음은 노자의 『도덕경道德經』에 나오는 말이다.

상선약수上善若水 수선이만물이부쟁水善利萬物而不爭
처중인지소오處衆人之所惡 고기어도故幾於道

"지극한 선은 물과 같다. 물은 만물을 이롭게 하면서도 남과 다투지 않
고 세상 사람들이 싫어하는 낮은 곳에 거처한다. 그러하기에 도道에 가
깝다."

물은 위에서 아래로 흘러간다. 즉, 순리를 거스르지 않는 것이다.

또한 물이 흘러가는 모습을 보면, 마치 자신의 능력을 잘 알고 있는 것처럼 보인다. 바위를 넘어서 갈 수 없는 경우에는 바위를 피해서 옆으로 흘러가며, 넘어서 갈 수 있을 때는 힘차게 바위를 넘어서 흘러간다.

이러한 물처럼 자신의 능력을 알고 그에 따라 삶에 대처하는 것은 매우 중요하다. 운명을 개척해나가는 것도 결국에는 먼저 자신의 능력을 파악한 다음, 그에 맞게 행동하면서 점점 내공을 키워나가는 것이다. 또한 능력과 내공을 키우기 위해서는 책을 읽을 때도 정독精讀하고 그 내용을 생활 속에서 직접 실천해봐야 한다. 책을 많이 읽는 것도 중요하지만, 읽은 것을 실천하는 것도 중요하다.

앞서 말한 노자의 『도덕경』도 그 뜻을 머릿속으로만 해석하려고만 하지 말고, 깊게 느껴 보고 생활 속에서 실천해보길 바란다.

내 안에 잠자고 있는
성공의 씨앗

다음은 『선가귀감』에 실려 있는 구절이다.

문이불신聞而不信도 상결불종지인尚結佛種之因이니
학이불성學而不成도 유개인천지복猶盖人天之福이니라.

"듣고 믿지 않더라도 부처가 될 종자가 심어진 것이요, 배워서 이루지
못하더라도 오히려 인간이나 천상의 복을 덮는다."

무엇이든 처음에 할 때는 잘 안 된다. 그러나 두세 번 계속하다 보
면 몸과 마음에 익어 능수능란能手能爛하게 할 수 있다. 이처럼 여러

시도를 거쳐 능숙한 경지에 오를 수 있는 이유는 처음의 힘, 즉 종인(種因, 씨앗과 원인)이 그대로 보존되어 있다가 시도를 거듭하며 더 큰 동력을 형성해나가기 때문이다.

인격수양 역시 동일한 원리다. 선한 말과 행동을 즐겨하고 좋은 마음과 생각을 끊임없이 품고 선을 행하면 그 선한 행위가 쌓여서 인간관계가 좋아지고, 더 큰 행복을 누리게 된다. 이 또한 마음속 깊은 곳에 자리 잡혀있는 근본적인 인격의 속성이 선의 추구로 인해 최상의 인격으로 도약하게 된 결과라고 볼 수 있다.

이처럼 우리 마음속에는 본디 자리 잡고 있는 훌륭한 성공의 종자種子가 있다. 그리고 이 종자는 우리가 어떻게 살아가느냐에 따라 더 큰 위력을 발휘하기도, 축소되기도 한다.

그러니 우리가 더욱 중요시해야 하는 것은 이 종자를 잘 길러 내는 것이다. 과오過誤를 어떻게 참회懺悔해나가느냐 하는 일인 것이다. 설령 과오를 저질렀다 할지라도, 오랜 고통이 수반된다는 것을 감수하고 끊임없이 선을 추구하는 노력을 해나간다면 결국은 부처의 마음에 가깝게 도달할 수 있을 것이다.

우리 재단이 가장 중시하는 '꿈'을 이룰 때도 마찬가지다. 최근 박인비 선수가 리우 올림픽에서 금메달을 획득한 후 인터뷰에서 이런 말을 했다. "매일 밤 남편과 함께 옥상에 올라가서 경기를 잘 풀어나가는 내 모습을 끊임없이 상상하며 훈련을 했다." 부단한 노력과 긍정적인 이미지 트레이닝이 성공의 종자가 되어 결국엔 아름다운 결실을 맺게 된 것이다.

　때로는 아무리 열심히 노력해도 기대했던 결과에 미치지 못할 수도 있다. 그러나 꾸준히 노력하고 좋은 생각을 가꾸며 선을 실천한다면, 그 자세 자체로 큰 복의 씨앗이 된다. 독자 여러분도 자신 안에 있는 힘을 믿고, 꿈을 향해 꾸준히 나아가려 노력하길 바란다.

몰입과
결단력

우리가 좀 더 강한 사람으로 거듭나서 사회적으로 성공하기 위해서는 중요한 문제에 부딪혔을 때 빠르고 분명하게 결단하고, 현재 하는 일에 몰입할 수 있어야 한다.

삼성 이건희 회장의 경우, 일본 유학 중 겪게 된 외로움을 기계에 대한 몰입을 통해 극복할 수 있었다. 그 시절 그는 각종 기계를 들여다보고 연구하는 것이 일상이었다. 시간이 흘러 이 회장이 삼성을 맡게 되었을 때 그는 일본 대기업들과의 경쟁에서 살아남기 위해 그 시절의 경험을 되살려 밤새 제품을 분해하고 비교하는 작업에 매달렸고, 이는 곧 삼성을 세계적인 기업으로 우뚝 서게 한 원동력이 되었다.

한편, 몰입은 일을 성공시키는 원천이 됨과 동시에 삶 자체를 행복으로 이끄는 가장 중요한 수단이다. 집중은 행복의 양과 질을 높일 수 있다. 틱낫한 스님은 『너는 이미 기적이다』라는 책에서 집중에 대해 이렇게 말했다.

집중은 우리가 한 가지 사물에 초점을 모으도록 도와준다. 집중하면 보는 힘이 강해지고 통찰이 가능해진다. 통찰에는 언제나 우리를 자유롭게 하는 힘이 있다. 마음챙김을 유지할 줄 알면 저절로 집중하게 되고 집중하는 법을 알면 저절로 통찰을 얻게 된다. 마음챙김의 에너지는 우리로 하여금 깊이 들여다보고 필요한 통찰을 얻고 그리하여 변화를 이룰 수 있도록 도와준다.

앞서 언급했던 이건희 회장의 또 다른 장점은 결단력이 뛰어나다는 것이다. 그는 아직 개발도상국에 머물러 굴뚝산업에만 몰두하던 우리나라의 산업 환경에서 과감하게 반도체 산업에 뛰어들어 삼성전자를 세계적인 기업으로 키워냈다.

결단력에 관하여 중국의 한비자는 이렇게 말했다.

일이란 빨리 결단해야 한다. 오리伍里를 걷는 동안 일을 결단할 수 있는 자는 왕이 될 수 있는 자다.

구리九里를 걷는 동안에 결단할 수 있는 자는
왕은 될 수 없지만 강한 자임에는 틀림없다.
일을 결정하는 데 우물쭈물 날짜를 보내고 있다면
정치가 정체되기 때문에 나라가 깎이는 결과가 된다.

이는 결단력이 일의 성패를 결정할 만큼 중요하다는 의미다. 우리의 삶은 선택의 연속이다. 그러나 선택을 하는 데 우물쭈물 시간만 보내다가는 그 어떤 것도 이뤄낼 수 없다. 자신의 삶에 확신을 갖고 몰입하고, 결단을 내릴 수 있는 독자 여러분이 되길 바란다.

실행으로
승부하라

어디를 갈지, 무엇을 할지 고민만 하다 보면 결국 여행을 떠나지 못하게 된다. 어떤 등산복을 살지, 어떤 등산화를 신을지 고민하다 보면 동네 뒷산조차 갈 수 없다. 즉, 행동하지 않으면 어떤 일도 시작할 수 없다. 언젠가 해야지 하고 마음만 먹고 있던 것이 있다면, 더 이상 고민하지 말고 행동으로 옮겨라.

『논어』에 학이불사즉망, '사이불학즉태學而不思則罔, 思而不學則殆'라는 말이 있다. 배우기만 하고 스스로 사색하지 않으면 학문이 체계가 없고, 사색만 하고 배우지 않으면 오류나 독단에 빠질 위험이 있다는 말이다. 이것은 이런 말로도 전환할 수 있다. 알기만 하고 행동하지 않으면 오류에 빠질 위험에 있다. 그렇다면 무엇을 실행해야 할 것인가? 우리는 무엇을 좇으며 살아가야 할까?

그 답은 '하고 싶은 일을 좇아라!'이다. 세상의 일을 좇아 이름이 나게 되는 것이 아니다. 하고 싶은 일에 정진하다 보면 자연스레 세상에 이름이 나게 되는 것이다. 하고 싶은 일을 행동으로 옮겨라. 그것을 당장 시작하라.

몸이 불편한 어머니를 생각하는 마음이 평범한 고등학생을 발명왕으로 만들고, 여행을 즐기는 마음이 유명 여행작가를 탄생시키는 것처럼, 남이 시켜서 하는 일이 아닌 스스로가 하고 싶은 일을 통해서만 사람은 성장할 수 있다.

프랑스의 시인이자 신학자인 알랭Alain은 다음과 같은 명언을 남겼다.

"다리를 움직이지 않고는 아무리 좁은 도랑도 건널 수 없다."

많은 사람에게 장학재단은 정적인 이미지로 각인되어 있다. 아마도 사무실에 앉아 장학금을 지급하는 것이 주요 업무라고 인식하기 때문일 것이다. 그러나 장학금 지급 자체가 우리의 주요 업무라고는 할 수 없다. 우리가 진정 공을 들여야 할 것은 장학금을 통해 수혜자가 인생에서 좋은 결실을 맺을 수 있도록 돕는 일이기 때문이다.

그러기 위해서는 수혜자에 대한 많은 정보와 이해가 필요한데, 이때 가장 필요한 자세가 바로 발로 뛰는 것이다. 비록 제3자에 의한 선발이 이루어진다 할지라도 선발 전에는 전국을 고루 돌아다니며 다양한 학생들의 생활 여건을 파악해야 하고, 선발 후에도 모니터링과 현장 방문 등을 통해 지속적인 관심을 기울여야 한다. 직접 장학생과 멘토, 배움터 관계자들을 만나 그들의 고충과 의견에 귀를 기울이고, 그것을 기록으로 남겨 함께 개선방안을 강구해나갈 때 우리 재단의 존립 이유와도 같은 아이들의 꿈이 피어오를 것이다.

덧붙여 알랭의 명언과 관련된 조지 워싱턴의 일화를 소개하려 한다. 몇몇 사병들이 통나무를 옮기고 있었다. 그런데 상사는 명령만 할 뿐 전혀 움직이지 않았다. 말을 타고 지나가며 이 모습을 목격한 한 신사가 상사에게 다가가 왜 당신은 통나무를 옮기지 않느냐고 물었다. 그 물음에 상사는 "나는 상사이자 감독관이기 때문이오"라고 답했다.

이에 신사는 말없이 말에서 내려 병사들과 함께 통나무를 운반했고, 일을 마친 뒤 상사를 향해 이렇게 말하고 자리를 떠났다. "상사, 앞으로 통나무를 나를 일이 있으면 총사령관을 부르게!" 상사와 병사들은 그제야 그 신사가 미군의 총사령관 조지 워싱턴이라는 사실을 알게 되었다고 한다.

지도자와 관리자의 위치에 있는 사람들 또한 열심히 발로 뛰어야 한다. 아래에서부터 위까지 두루 만나고 소통하는 것이 우리 재단이 학생들의 꿈을 위해 할 수 있는 최선이자 의무일 것이다.

우리의 삶은 선택의 연속이다. 그러나 선택하고 실행하는 데 있어서 우물쭈물 시간만 보내다가는 그 어떤 것도 이뤄낼 수 없다. 독자 여러분이 자신의 삶에 확신을 갖고 적극적으로 결단하고 행동하는 사람이 되길 바란다.

말은 천천히
행동은 빠르게

『논어』「이인里仁」편에는 이런 말이 있다.

자왈 군자욕눌어언이민어행 子曰 君子欲訥於言而敏於行

"공자께서 말씀하셨다. 군자는 말은 천천히 하고, 행동은 민첩하게
한다."

군자는 높은 도덕성을 가진 사람을 말하며, 본보기로 삼을 만큼
유덕한 사람을 이른다. 군자가 말을 느리게 한다는 것은 어눌하고
더듬거리며 이야기한다는 것이 아니다. 이는 말을 신중하게 하기에

더디게 천천히 말한다는 뜻이다. 반면 군자는 덕행을 실천하는 일은 머뭇거리지 않고 신속히 실행한다.

우리도 군자를 본받아 실천할 수 없는 말을 하거나 상대방에게 상처 주는 말을 함부로 하지 말고, 한 번 더 생각한 후 신중하게 이야기해야 한다. 그리고 학문에 정진하는 일, 선행을 실천하는 일, 자기의 부족한 점을 고치는 일은 재빨리 실행에 옮기도록 해야 한다.

또 이런 말도 있다.

자왈 군자유어의 소인유어리子曰 君子喩於義 小人喩於利

"공자께서 말씀하셨다. 군자는 의義를 밝히고 소인은 이利를 밝힌다."

이 말은 군자는 공익을 추구하며 정의를 실천하고, 소인은 오직 자기 자신의 사리사욕을 채우는 탐리에만 밝다는 이야기다. 다시 말해 군자는 다른 사람들과 사회를 위한 생각을 하고, 소인은 눈앞에 놓인 자신의 이익만을 탐하는 사람이라는 뜻이다.

우리가 어떤 선택이나 행동의 결정을 내릴 때, 내게 득이 될까를 먼저 생각한다면 소인이며, 이게 과연 옳은 일인가를 우선 고려한다면 군자에 가깝다고 할 것이다. 판단의 기준을 공적인 가치에 두느냐 개인적 이익에 두느냐는 개인의 자유다. 하지만 모든 사람이 자기 이익만을 우선하고 그 때문에 다툰다면 그 사회는 경쟁과 투쟁, 질투와 미움, 해악과 원한이 가득하게 될 것이다. 그러나 반대로 옳은 것이 무엇인가를 두고 고민한다면 정의와 인간에 대한 신뢰가 넘쳐날 것이다.

자신의 자리에서 묵묵히 제 역할을 해나가는 사람의 모습은 아름답다. 누가 알아주든 알아주지 않든 자신만의 걸음으로 하나하나 목표를 향해 실천해나가는 사람에게는 든든한 믿음과 신뢰가 생긴다.

정보통신기술의 눈부신 발전을 바탕으로 다양한 커뮤니케이션 수단이 생겨나면서 요즘처럼 협력이 많이 요구되는 시대도 없다. 이러한 시대에서는 말을 아끼는 눌언訥言과 민첩한 행동을 보여주는 민행敏行으로 사는 것이 하나의 경쟁력이다. 모두가 군자처럼 행동하며 살 순 없지만, 말을 앞세우지 말고 몸소 실천하는 것이 더불어 살아가는 사회에서 우리가 반드시 명심해야 할 소중한 덕목이다.

변화의
물결을 타라

자신만의 고정된 생각에 빠져 있는 것은 지혜롭지 못하다. 늘 하던 대로 하고 습관적인 방식대로만 살면, 같은 어리석음과 괴로움을 반복해서 겪어야 한다. 자기만의 생각에 사로잡혀 변화의 실상을 제대로 볼 수 없는 것이다.

인도의 승려 법구法救가 부처님의 말씀 중에서 삶에 경종을 울릴 만한 훌륭한 글귀를 모아 엮은 『법구경法句經』에는 다음과 같은 구절이 있다.

어리석은 사람은 한평생 다하도록
어진 사람을 가까이 섬기어도

참다운 법을 알지 못한다.

숟가락이 국 맛을 모르는 것처럼

숟가락으로 음식을 떠먹어도 숟가락은 국 맛을 모르고, 손가락으로 달을 가리켜도 손가락은 달의 아름다움을 알지 못한다. 우리가 삶에서 흔히 범하는 실수 또한 이와 같다. 이 세상에 보이지 않는 것도, 들리지 않는 것도 없지만 자신의 생각에 갇혀 알아채지 못하는 경우가 참 많은 것이다.

따라서 우리는 지속적으로 변화를 추구해야 한다. 바람이 불 때 살아 있는 나무는 흔들리지만 죽은 나무는 흔들리지 않는다. 즉, 변화를 두려워하지 않고 계속 흔들려야 더 나은 방향으로 발전할 수 있다.

그러기 위해서 우리는 특정 이데올로기에 집착해서는 안 된다. 또한 스스로를 개념화하지 않아야 한다. 프레임은 때로는 편의를 주기도 하지만 그 이외의 것을 보지 못하게 하여 우리의 시야를 고정시키고, 변화를 도모하기 어렵게 만들기 때문이다. 이렇게 변화를 강조하면 혹자는 이런 질문을 던진다.

"매일 하는 일이 똑같은데 어떻게 변화를 도모할 수 있겠습니까?"

우리의 일상이 늘 같은 것처럼 보이지만 사실 내부적 흐름은 항상 다르다. 그래서 늘 새로운 의미를 부여할 수도 있는 것이다. 새로운 것을 찾아보고, 목표를 잡고, 어떻게 하면 더 가치 있게 이룰 수 있을지 고민하다 보면 같은 일도 다르게 보이고 활력도 불어넣을 수 있다.

변화를 위해 우리가 갖추어야 할 가장 좋은 행동의 원칙은 무엇일까? 바로 포기하지 않는 자세이다. 내가 아침마다 즐겨보는 TV 프로그램은 〈인간극장〉인데, 최근 어부의 삶을 다룬 '노인과 바다'라는 에피소드가 방영되었다. 이 에피소드의 주인공인 어부는 직접 만든 배를 몰고 참게를 잡으러 바다로 향한다. 그는 끈을 잘못 매서 배의 방향 조정이 어려워졌음에도 포기하지 않고 끝까지 참게를 잡았다. 남들이 보기에는 불가능하고 위험한 순간이었지만 어부와 그의 부인은 할 수 있다는 생각으로 절대 포기하지 않았던 것이다.

우리가 하루에도 숱하게 겪는 요동치는 감정, 타인과의 차이에서 겪는 사사로운 일들 등은 우리 삶이 정적이지만은 않다는 것을 알려준다. 그 때문에 지루하고 반복적인 삶으로 보일지라도 작은 행동의 차이를 통해 변화를 이끌어 낼 수 있다는 신념을 지녀야 한다. 상황을 객관적으로 인식하고 포기하지 않으며 변화를 도모해나간다면 단조로워 보이는 우리의 삶이 좀 더 윤택해지리라 믿는다.

간절한 마음으로
현실에 충실하라

다음은 『명심보감明心寶鑑』의 「권학勸學」편에 있는 주희의 말이다.

소년이노 학난성少年易老 學難成

일촌광음 부가경一寸光陰 不可輕

미각지당 춘초몽未覺池塘 春草夢

계전오엽 이추성階前梧葉 已秋聲

"소년은 늙기 쉽고, 학문은 이루기 어려우니 짧은 시간이라도 헛되이 여기지 말라. 아직 못가의 봄풀은 꿈에서 깨어나지 않았는데 앞뜰의 오동나무는 벌써 가을 소리를 내는구나."

봄이 왔다는 생각을 하는 와중에 어느새 가을이 성큼 다가와 있다. 시간은 정말 빨리 흘러간다. 짧은 찰나의 순간일지라도, 그 시간마저 알차게 사용하려는 간절함이 있어야 한다.

공부에는 간절할 '절切'자 한 자면 족하다는 말이 있다. 이는 공부를 하려면 무엇을 알려고 하는 간절한 마음이 있어야 한다는 말이다. 절박한 마음이 없으면 공부가 익질 않는다.

체질을 바꾸는 것을 교기질矯氣質이라고 하는데, 자신의 체질을 공부하는 체질로 바꾸려면 절박한 마음을 가지고 계속 반복해야 한다. 공부 잘하는 사람과 못하는 사람의 차이는 단순하다. 공부를 못하는 사람의 특징은 한 번에 공부를 끝내기 위해 조급하게 군다는 것인데, 그렇게 초조하게 굴면 공부가 제대로 되지 않는다. 공부를 잘하려면 절박하고 간절한 마음을 가지고 반복해서 학습해야한다. 이와 더불어 자신에게 맞는 공부방법을 찾아야 한다.

스스로 공부하면서 자신만의 공부법을 터득하는 것이 중요하듯이, 깨달음을 얻는 것도 마찬가지다. 깨달음을 얻지 못했다고 한탄하는 사람은, 깨달음을 얻기 위해 간절한 마음으로 쉬지 않고 공부해나갔는지 먼저 답해야 한다.

무엇이든 한 가지 일을 지속하면 반드시 결과가 뒤따르는 법이다. 『사기史記』의 「장의열전張儀列傳」에는 '적우침주積羽沈舟 군경절축群輕折軸'이라는 구절이 있다. 가벼운 깃털도 수북이 쌓이면 배를 가라앉히고, 가벼운 사람도 많이 타면 수레축이 부러진다는 뜻이다.

사소하게 보이는 일일지라도 그것이 계속되면 언젠가는 큰 결과를 가져온다. 따라서 지금 당장은 별 볼 일 없는 노력일지라도 매일 지속하는 습관을 지니면 큰 성과를 이룰 수 있다.

마음은 비어 있는 칠판과 같다. 존 로크의 'Tabla rasa'라는 표현도 이와 비슷한 의미이다. 'Tabla rasa'는 '비어 있는 칠판'이라는 뜻이다. 즉, 사람은 어떠한 경험을 하느냐에 따라서 달라진다는 뜻이다.

마음이 세상을 바꾸는 것이다. 어떤 생각을 하고 어떤 습관을 지니고 있느냐에 따라서 세상은 달라진다. 그렇기에 마치 화가가 백지에 그림을 그리듯이, 마음에 어떤 그림을 그리느냐에 따라서 세상은 달라진다. 마음에 자신이 원하는 그림을 그리고, 같은 일을 반복하면 분명히 인생이 달라질 것이다.

정진하지 않는 사람이 쓸데없는 것에만 신경을 쓰고, 지금 현재 성실하지 못한 사람들이 언제나 옛 추억과 미래에 대한 헛된 망상만을 하며 살아간다. 지금 내가 무엇을 할 것인지 항상 생각해야 한다. 그리고 언제나 현재에 집중해야 한다. 성공하고 행복해지기 위한 만고의 진리는 지금의 간절한 마음으로 내가 해야 할 일에 집중하는 것이다. 독자 여러분도 이를 마음에 새기고 지금 이 자리에서 충실하고 환하게 깨어있는 사람이 되길 바란다.

늘 갈구하고,
바보짓을 하라

스티브 잡스는 애플의 창업자로 아이폰, 아이패드를 출시해 많은 젊은이의 존경을 받는 기업인이다. 특히 2005년 6월 스탠퍼드 대학에서 잡스가 연설한 내용은 많은 사람에게 꿈과 용기를 심어주었다. 그 내용을 정리하면 아래와 같다.

미혼모의 아들로 태어난 스티브 잡스는 태어나자마자 입양 보내졌다. 친모는 대학을 졸업한 고학력의 부부를 원했으며, 실제로 변호사 부부가 잡스를 입양할 예정이었지만 마지막 순간에 그 부부가 여자아이를 입양하려고 마음을 바꾸며 잡스는 대기자 명단에 있던, 농부로 일하는 폴 잡스와 클라라 잡스 부부에게 입양가게 되었다. 생모는 폴 잡스가 고등학교조차 졸업하지 못했고 클라라 잡스도 대학을 졸업하지 못했다는 사실 때문에 입양 서류에 서명하길 거부했고, 잡스 부부에게 스티브를 꼭 대학에 보내겠다는 약속을 받고 나서야 비로소 입양 동의서에 서명했다. 나중에 친모가 그를 찾아왔지만, 그는 친모에 대해 냉담하게 반응하며 언제나 양부모를 친부모로 여겼다.

고등학교 졸업 후 잡스는 오리건 주 포틀랜드에 있는 리드 칼리지Reed College에 입학했다. 그러나 비싼 등록금이 양부모의 노후자금이라는 사실을 알고 대학을 중퇴했다. 그 이후 친구의 기숙사 바닥에서 잠을 자고 12km나 떨어진 교회에서 주는 무료 급식으로 끼니를 해결하는 생활 속에서도 청강을 통해 배움의 끈을 놓지 않았다. 특히 이때 들었던 서체 수업은 나중에 매킨토시의 서체에 큰 영향을 미치기도 했다. 잡스는 몇 년 후 캘리포니아로 돌아와 친구와 협력해 잡스 부모의 차고 안에서 애플을 설립하고, 최초의 개인용 컴퓨터인 '애플 I'을 내놓았다.

이후 후속작인 '애플 Ⅱ'가 엄청난 성공을 거두면서 잡스와 애플은 승승장구하는 것처럼 보였다. 그러나 몇 차례 부진을 겪었고, 결국 잡스가 서른 살이 되던 해 애플의 이사회는 그를 해고했다. 몇 달간 공황상태에 빠졌던 잡스는 열일곱 살 때 읽었던 "매일매일을 인생의 마지막 날인 것처럼 살아간다면 어느 날 매우 분명하게 올바른 길에 서 있는 당신 자신을 만날 수 있을 것이다"라는 책의 구절을

떠올리고, 그는 그가 사랑하는 일이 있다는 것을 깨달았다. 그는 성
공해야 한다는 중압감에서 벗어나 가벼운 마음으로 다시 시작할 수
있었고 오히려 이 시기에 인생에서 가장 창의적인 한때를 보내게 되
었다.

이후 그는 넥스트라는 회사를 설립했다. 넥스트에서 인수한 픽
사는 세계에서 가장 성공한 애니메이션으로 꼽히는 〈토이 스토리〉
를 만들어냈고, 디즈니가 인수하면서 큰돈을 벌어 잡스는 1996년,
애플의 최고경영자로 복귀하였다. 복귀 후 그는 1997년 10억 달러
의 적자를 한 해 만에 4억 달러의 흑자로 전환하는 신화를 만들어
냈다. 그가 내놓은 제품은 연달아 성공을 거두었고, 애플은 세계 최
고의 IT 기업으로 우뚝 올라섰다. 이후 사업적인 성공과 행복한 가
정을 이뤘지만 공교롭게도 병마도 함께 찾아왔다. 잡스는 2004년
췌장암 진단을 받고 대수술을 했다. 그러나 병이 재발해 점차 건강
이 악화되자 2011년 결국 최고경영자 자리에서 물러났고, 같은 해
10월 5일 56세의 나이로 세상을 영면하였다.

스티브 잡스는 자신이 만일 애플에서 쫓겨나지 않았더라면, 그
가 이룬 중대한 성취들도 없었을 것이라고 이야기했다. 잡스는 참으
로 끔찍한 약이었지만, 환자인 자신에게는 꼭 필요했던 약이었다고
그때를 회상하였다.

여러분도 신념을 잃지 말라. 잡스가 계속해서 앞으로 나갈 수 있

었던 것은 오로지 하는 일에 대한 사랑이 있었기 때문이다. 여러분도 사랑할 대상을 찾아야 한다. 그것은 사람일 수도 있고 꿈꾸는 일일 수도 있다.

여러분의 일은 여러분 인생의 큰 부분을 차지한다. 여러분이 대단한 일이라고 믿는 것을 해야만 진정으로 만족할 수 있다. 대단한 일을 하는 유일한 방법은 여러분이 하는 일을 사랑하는 것이다. 아직 그것을 발견하지 못했다면 계속 찾아라. 안주해서는 안 된다.

잡스는 연설의 마지막에서 "늘 갈구하고, 바보짓을 하라Stay hungry, Stay foolish"고 했다. 갈구하지 않으면 성공할 수 없다. 어찌 보면 둔한 것 같지만, 이리저리 눈치를 살피지 않고 좋아하는 일에 묵묵히 몰두하다 보니 명인이 되고 달인이 된다. 늘 갈구하라고 해서 지금 당장 다니는 직장에서 이직하라는 뜻이 아니라 현실에 안주하지 말고 독서나 취미활동 등을 통해 끝없는 자기계발을 하도록 노력해야 한다는 것이다. 그렇게 하려면 먼저 매일 하루가 시작되는 아침에 하루를 어떻게 보낼지 계획을 만들어야 한다.

잡스가 서체를 공부하는 시점에서 매킨토시를 만들려고 계획한 것은 아니다. 하지만 최초의 컴퓨터인 매킨토시를 만들 때 서체 강의에서 배운 지식이 아름다운 글씨체를 가진 컴퓨터를 만드는 데 큰 도움이 되었다. 이처럼 새로운 것들을 시도하고, 그 과정에서 얻어지는 경험들을 통해 꿈을 현실로 만들어낼 수 있는 것이다.

스티브 잡스가 성공할 수밖에 없었던 이유는 항상 꿈꾸고, 무모한 것 같지만 좋아하는 일에 몰두할 줄 알았기 때문이다. 여러분도 스티브 잡스처럼 마음속에 항상 꿈을 그리고, 그 꿈을 갈망해야 한다. 꿈을 향해 이것저것 재지 말고 도전하고, 또 도전할 용기를 가진다면 돌산도 뚫을 수 있고 자신이 지금 품고 있는 꿈도 반드시 이룰 수 있을 것이다.

매사에
치우치지 말라

다음은 『채근담菜根譚』에 나오는 중용中庸에 관한 이야기다.

청능유용清能有容하며 인능선단仁能善斷하며

명불상찰明不傷察하며 직불과교直不過矯면

시위밀전불첨是謂蜜餞不甛하여 해미불함海味不鹹이니

재시의덕纔是懿德이니라.

"청백清白하면서 너그럽고, 어질면서 결단을 잘하며, 총명聰明하면서 지
나치게 살피지 않고 강직하면서 너무 바른 것에 치우침이 없으면 이는
꿀을 발라도 달지 않고, 바다의 물건이라도 짜지 않음과 같다 하리니

이것이 곧 아름다운 덕이 된다."

즉, 매사에 중용을 지키며 행동하라는 뜻이다. 따라서 우리는 이러한 중용의 도를 본받아 남의 결점을 포용할 줄 알고, 스스로는 깨끗하고 치우치지 않는 태도를 지녀야 한다. 지나치게 강직한 사람은 부러지기 쉽다. 어디에 치우치지도 매달리지도 않은 채로 마치 공중에 떠있는 듯, 사리사욕 없이 판단하고 행동해야 한다.

공자의 극기복례克己復禮도 이와 비슷한 의미다. 사욕을 극복하고 예로 돌아가야 한다는 뜻이다. 극단에 치우치지 않는 중용의 태도로, 시기를 잘 맞춰서 판단하고 행동해야 실수가 없고, 후회 없는 삶을 살아갈 수 있다.

중용과 절제節制, 자각自覺에 관한 의미를 담은 『채근담』의 구절을 여기 옮겨본다.

거비이후居卑而後에 지등고지위위知登高之爲危하고처회이후處晦而後에
지향명지태로知向明之太露하며
수정이후守靜而後에 지호동지과로知好動之過勞하고,
양묵이후養默而後에 지다언지위조知多言之爲躁니라.

"낮은 곳에 살아본 후에야 높은 데 오름이 위태롭다는 것을 알게 되

고, 어두운 데 있어 본 후에야 밝은 곳 향함이 눈부심을 알 것이며, 고요함을 지켜본 후에야 움직임을 좋아하는 것이 부질없다는 것을 알고 말 없음을 겪어보아야 말 많음이 시끄러운 줄 알 것이다."

항상 밝은 곳에 있는 사람은 어둠을 모르기 때문에 밝음도 알지 못한다. 또한 고요함을 알아야만 수다스러움도 느낄 수 있다. 그렇기에 우리는 모든 일에 있어서 미리미리 사전 준비를 하고 익혀 두어야 한다.

높은 곳에 오를 때에도 항상 아래를 생각하며 올라야 한다. 사소한 행동을 할 때도 스스로 이 행동을 언제 끝내야 하는지 생각하고 있어야 한다. 자신의 명예가 높이 올라갔다고 해서 그것이 언제까지나 계속되는 것은 아님을 항상 자각하고 있어야 한다. 또한, 밝은 곳에 있으면서도 언제든지 다시 어두워질 수 있음을 알아야 한다. 즉, 모든 일에 중용과 절제의 마음가짐으로 임하는 것이 중요하다.

한 가지 일에만 휩쓸려서 중용의 마음을 잃으면 실수를 하게 되고, 결과적으로 남는 것은 실망과 허탈함과 후회뿐이다. 독자 여러분도 항상 중용과 절제의 마음가짐으로 후회 없는 날들을 살아가길 빈다.

시련과 실패를
넘어

평소 알고 지내던 김주영 작가가 최근 『뜻밖의 생』이라는 소설을 출간했다. 이 소설의 끝에 나오는 구절을 여러분에게 소개해드리고 자 한다.

방법은 고난보다 많다. 척박한 바위산 기슭에서 10년 동안 하루에 몇 그루씩 나무를 심고 있는 중국 농촌의 한 농부가 한 말이다. 그는 사고로 두 팔을 잃은 심각한 장애인이었다. 우리 삶에 있어서 방법은 고난보다 많다.

우리는 살아가면서 수많은 고난을 마주한다. 수시로 변하는 마음으로 인한 내적 고난뿐 아니라 본인의 의지와는 전혀 관계없는 일들, 가령 타인의 운전 실수로 인한 교통사고나 갑자기 찾아온 병 등으로 인해 겪게 되는 고난까지 많은 요인이 우리를 큰 고통 속으로 몰아넣는다.

하지만 우리는 어떤 고난이든 극복할 수 있다. 내가 만든 고난이든 외부에서 만들어진 고난이든 극복할 방법은 분명히 있다. "방법은 고난보다 많다"는 말을 남긴 농부는 김주영 작가가 소개한 것처럼 양팔을 잃었다. 대개 그런 상황에 부닥치면 절망하고 쉽게 포기하기 마련이다. 그렇지만 농부는 고난을 극복하고 긍정적으로 세상을 바라보며 최선을 다해 살아가고 있다.

"하늘이 무너져도 솟아날 구멍은 있다"는 속담처럼 시련과 고난이 우리를 찾아올지라도 분명 극복할 방법은 있다. 이런 신념으로 우리는 시련과 실패를 두려워하지 말아야 한다. 그리고 그 시련과 실패가 우리를 성장시킨다는 긍정적인 마인드를 가져야 한다.

『논어』「자한子罕」편에는 이런 글귀가 있다.

자왈세한연후子曰歲寒然後 지송백지후조야知松栢之後彫也

"공자께서 말씀하셨다. 날씨가 추워진 뒤에야 소나무와 잣나무가 다른 나무들보다 나중에 낙엽이 진다는 것을 안다."

즉, 여름에는 모든 나무가 똑같이 풍성하지만 겨울이 되면 비로소 꿋꿋이 홀로 남아 있다가 뒤늦게 낙엽이 지는 소나무와 잣나무의 청정한 기상을 제대로 볼 수 있다는 것이다. 이는 다음과 같은 옛말들과도 의미가 상통한다.

설후시지雪後時知 송백조松栢操하고
사난방견事難方見 장부심丈夫心이라.

　"눈이 온 후에야 비로소 소나무와 잣나무의 지조를 알 수 있고, 일이 어려운 후에야 장부의 마음을 알 수 있다."

국난사충신國亂思忠臣하고
가빈사현처家貧思賢妻이라.

　"나라가 어지러워지면 충신忠臣을 생각하고 집안이 가난하면 어진 아내를 생각한다."

　우리는 시련을 겪은 후에야 진정한 삶의 의미와 사람의 소중함을 알며, 평소 내 곁에 있을 때는 몰랐지만 막상 그 사람이 떠나고 난 후에야 고마움과 빈자리를 느낀다. 따라서 시련을 반드시 시련으로

만 생각할 일은 아니니, 존재의 실상을 알게 되는 귀중한 기회로 삼아야 할 것이다.

막힘없이 살아가기 위한
세 가지 역량

우리는 위험한 상황에 부닥쳤을 때의 태도를 통해 진정으로 그 사람에 대해 알 수 있다. 2015년, 북한 목함 지뢰 폭발 사건으로 크게 다친 장병은 자신의 부상에도 불구하고 오히려 다른 전우들을 걱정했다. 그 사건을 통해 북한의 도발 위협으로 국가가 위기에 처했을 때 자발적 애국심으로, 나라를 지키고자 제대를 연기한 우리 젊은 장병들의 든든한 애국심도 확인할 수 있다.

인격의 완성이란 대체로 슬기로움과 어짐과 용기, '지인용知仁勇' 세 가지의 덕성을 갖추는 것을 의미한다. 이를 어떤 때에도 통하는 세 가지 덕목이라 하여 '삼달덕三達德'이라고도 부른다.

이와 관련해 공자께서는 이런 말씀을 하셨다.

자왈지자불혹子曰知者不惑하고
인자불우仁者不憂하니 용자불구勇者不懼라.

"지혜로운 사람은 미혹되지 않고, 어진 사람은 근심하지 않으며, 용감한 사람은 두려워하지 않는다."

쉽게 말해 아는 자는 유혹에 넘어가지 않고, 어진 사람은 걱정하지 않고, 용기 있는 자는 무서워하지 않다는 것이다. 예를 들면 재산이 있는데 다 놓고 가겠다고 하는 자는 두려움이 없으나 재산을 내 자식에게 모두 주겠다고 하는 자는 두려움이 생기는 법이다. 독자 여러분도 지인용의 삼달덕을 마음에 새기고 항상 실천해서 어떤 상황에서도 막힘 없이 살아가길 바란다.

절망과 한계를
넘어서는 법

우리는 습관화된 일과 반대되는 상황을 불행이라고 생각하는 경
향이 있다. 예를 들면, 항상 꽁보리밥을 먹던 사람이 그것도 못 먹으
면 불행을 느끼고, 다시 꽁보리밥을 먹게 되면 행복하다고 느낀다.
사업을 하는 사람들 또한 사업이 망했을 경우, 아무것도 시작하지
않았을 때인 원점으로 돌아갔다고 생각하지 않고 사업이 잘됐을
때를 기준으로 자신이 파멸했다고 느낀다.

우리는 절벽에서 떨어지면 죽는다고 생각하지만, 그것은 우리가
절벽에서 떨어지면 죽는다는 두려움과 공포 때문에 죽음으로 몰아
넣는 것이다. 이와 관련된 의상義湘 대사의 일화를 소개하겠다.

강원도 양양의 낙산사에서 의상 대사는 관세음보살觀世音菩薩을 친견親見하고자 했으나 아무리 염불을 하여도 볼 수가 없었다. 이에 의상 대사는 결심하였다.

'오늘 저녁에 관세음보살을 보지 못한다면 이 절벽에서 떨어져 죽겠다.'

하지만 결국 만나 뵙지 못하자 그는 절벽에서 떨어지고 만다. 그런 그의 간절한 마음이 통했는지 바닷속에 몸을 던진 의상 대사는 비로소 관세음보살을 만날 수 있었다. 관세음보살은 의상 대사에게 굴 위 산꼭대기에 쌍 죽이 솟아나는 곳에 절을 지으라 명하였고 그 명을 받들어 만들어진 것이 바로 낙산사다.

이러한 용기와 실천을 일컫는 말이 '백척간두진일보百尺竿頭進一步'이다. 백 자나 되는 높은 장대 위에 다다라 또 한 걸음 더 나아간다는 뜻이다. 즉, 이미 할 수 있는 일을 다 했는데 또 한 걸음 나아간다 함은 더욱 노력하여 위로 향한다는 말이다.

우리는 종종 절벽 앞에 선 것 같은 상황을 맞이하며 살아가고 그것 때문에 괴로워한다. 하지만 절벽에 부딪히지 않는 사람에게는 새로운 길이 열리지 않는다. 시련과 고통이라는 절벽에 부딪혀야 비로소 삶의 소중함과 의미를 온전히 알 수 있다.

불행은 지나가고, 행복은 영원히 머물지 않는다는 말이 있다. 벼랑 끝에서 떨어지면 죽는다는 수직적 사고가 아니라, 떨어지더라도 살 수 있다는 수평적이고 유연한 사고로 삶을 수용한다면 어떠한 상황도 이겨낼 수 있다.

결국, 어려움 속에서도 마음가짐이 어떠한가에 따라 어떤 사람은 절망의 구렁텅이에 빠져 자신을 옭아매지만 어떤 사람은 이를 통해 더 큰 세상으로 나아간다. 여러분도 힘들고 어려운 일들로 벼랑 끝에 서 있다고 느낀다면 그곳이 끝이라고 절망하는 것에서 그치지 않고 한계를 뚫고 나가 성장을 도모하기 바란다.

언행을
관리하는 기술

우리는 살면서 '이건 말하지 말았어야 했는데' 혹은 '이건 더 칭찬했어야 했는데' 하고 후회하는 일이 많다. 말이란 뱉어 놓게 되면 책임을 져야 한다. 깊이 생각하지 않고 자기감정에 따라 즉흥적으로 살다 보면, 상대방의 가슴에 못을 박는 언행을 하고 후회를 남기게 된다.

말하는 태도는 자기가 살아온 습관과 밀접한 관계가 있다. 엄격한 부모나 형제, 또는 대가족 속에서 성장한 사람들은 생활 속에서 자연스럽게 훈육이 되어 상대방 입장을 고려하여 말하는 경우가 많다.

그러나 최근 우리의 생활 모습이 핵가족화되면서 일찍 자립하거나 불가피하게 부모나 형제와 떨어져 지내게 된 사람들은 평소 혼자 생각하고 혼자 결단을 해야 하기 때문에 대부분 주체적이고 자주적인 생각을 많이 한다. 하지만 그런 장점에 반해 자기 고집만 지나치게 강해진 사람들도 종종 볼 수 있다. 그런 사람들이 자기 제어를 못 하게 될 경우 언제든지 사람들과 대립과 투쟁을 벌인다. 자기 제어를 잃은 말들은 공격적인 말로 변하고, 상대방의 마음을 아프게 하는 말이 되어 버리는 것이다.

우리가 그렇게 말하지 않으려면 언제든지 자기 성찰自己省察을 하는 것이 필요하다. 자기 성찰을 하고 싶다면, 반드시 자기 집중을 해야 한다. 예를 들어 자동차를 운전하더라도 자동차에 앉자마자 나는 지금 자동차를 운전하고 있다고 의식하는 것과 그냥 차를 몰고 가는 것은 전혀 다르다.

내가 자동차를 운전하고 있다는 것을 잠재의식화시키고 매 순간 생각하면 주변에 대한 주의력이 강화된다. 그러나 아무 생각 없이 페달을 밟고 가면 자칫 사고가 날 수 있다. 그래서 언제든 짧은 순간이더라도 자기 집중을 한다면, 내가 말을 할 때도 무슨 말을 하고 있는지 의식할 수 있다. 이런 태도를 익히면 언행의 실수를 줄일 수 있다.

우리는 한순간의 실수로 돌이킬 수 없는 상황에 놓이기도 한다. 그만큼 말이란 다시 고치기 어렵다. 물동이를 한번 깨면 그 안에 물을 다시 담을 수 없듯이, 말이라는 것도 주워 담을 수 없는 것이다. 그래서 우리는 말의 중요성을 단단히 인식하고 말을 하기 전에 항상 자기 성찰을 하는 습관을 지녀야 한다.

요즘 대다수 젊은이는 자기 줏대가 매우 강하고, 절대 남에게 지려고 하지 않는다. 그러나 지는 것도 하나의 진리眞理라 할 수 있다. 반드시 이기는 것만이 진리가 아니라, 자기가 옳다는 것을 알면서도 때로는 지는 것이 옳을 때도 있다. 우리가 상대방을 아프게 하는 말이나 행동을 스스로 제어하지 못한다면 그것은 지혜롭지 못한 일이다. 항상 그 말과 행동을 하기 전에 스스로 이 말이 바람직한지 생각해봐야 한다.

그러기 위해서 우리는 남을 비난하는 것이 아니라 남을 칭찬하겠다는 마음을 바탕으로 자기 집중을 해야 한다. 매 순간 자신이 어떤 말과 행동을 하려고 하는가 반성하는 자기 성찰을 지금부터 연습해보길 바란다.

또한, 언행을 관리할 때는 무엇인가를 잘하기보다 하지 말아야 할 것을 하지 않는 것이 더 중요하다.

"해야 할 일을 먼저 하는 것보다 하지 말아야 할 일을 우선 생각해야 한다"는 맹자의 가르침을 떠올려보자. 우리는 대개 앞뒤 고려하지 않고 해야 할 일에 치중하고는 한다. 그러나 해야 할 일을 생각하기에 앞서 그 일을 잘 해내기 위해 하지 말아야 할 일이 무엇인지 먼저 고민해보는 과정이 필요하다.

가령 좋은 선생님 되기라는 목표를 세웠다면, 상처 주는 말 하지 않기, 자존감 낮추지 않기 등 교사로서 해서는 안 되는 일들을 생각해보고 이런 행위를 경계하는 것부터 시작해 목표를 향한 첫걸음을 내딛어야 한다.

하지 말아야 할 것을 하지 않기는 이 사회를 살아가는 데 꼭 필요한 자세이다. 거짓말하지 않기, 상처 주는 말 하지 않기 등을 먼저 생각할 수 있다면, 인간으로서 불가피하게 저지르는 흠결을 줄일 수 있고, 좋은 기회가 왔을 때도 놓치지 않을 수 있다.

진정한 앎이란 무엇인가?

『논어』「위정爲政」편에 이런 말이 있다.

자왈子曰 유由아 회여지지호誨女知之乎

지지위지지 부지위부지知之爲知之, 不知爲不知

시지야是知也.

"공자께서 말씀하시길, 유야! 내가 너에게 안다고 하는 것이 무엇인가
를 가르쳐주겠다. 결국 아는 것을 안다고 하고 모르는 것을 모른다 하
는 것이 곧 안다는 것이다."

공자의 애제자 중 하나인 자로는 용맹스럽고 의리 있는 사람이었으나 아는 척을 많이 하고 겸손하지 못했다. 그래서 공자께서 자로에게 이런 가르침을 내린 것이다.

아는 것을 안다고 하고 모르는 것을 모른다고 하는 것은 어려운 일이다. 용기 있는 자, 아는 자만이 모르는 것을 모른다고 말할 수 있다. 모르는 것을 모른다고 말하면, 그 모르는 것을 알게 될 가능성이 생기지만, 모르는 것을 안다고 하면 그 모르는 것을 새로이 알 가능성은 영영 없어진다.

인간의 앎에서 가장 큰 문제는 자기가 무엇을 모르는지 그 자체를 모른다는 데 있다. 즉 무엇을 아느냐가 중요한 것이 아니라, 무엇을 모르느냐를 아는 것이 중요하다. 무엇을 모르는지를 명료하게 아는 사람은, 모르는 것을 안다고 우기는 법이 없다. 인간은 자기가 무엇을 모르는지 확실하게 깨달을 수 있을 때만 앎의 의미를 갖게 되는 것이다. 모르는 것을 확실히 모르는 것으로 인식할 수 있는 자만이 비로소 진정한 앎에 대한 발돋움이 가능해지는 것이다.

진정한 앎을 위해서는 마음의 안정을 가져야 한다. 마음의 안정을 통해 아는 것을 안다고 할 수 있고 모르는 것을 모른다고 할 수 있는 것이다. 항상 마음의 안정을 하고 있는지 자기 자신에게 집중해보는 시간을 가져라. 그러면 어느덧 진정한 앎의 의미를 느낄 수 있을 것이다.

지금 하고 있는
일을 즐겨라

『논어』「옹야雍也」편에 이런 글이 있다.

자왈子曰 **지지자불여 호지자**知之者不如好之者
호지자불여락지자好之者不如樂之者

"공자께서 말씀하시길, 아는 사람은 좋아하는 사람만 못하고, 좋아하는 사람은 즐기는 사람만 못하다."

이 말은 무조건 지식을 습득하고 배우고 익히는 사람은 그 지식을 좋아하는 사람보다 못하고, 좋아하는 사람은 그 지식을 배우고 익힘을 즐기는 사람만 못하다는 뜻이다. 예를 들면 학업 성적이 좋지 않은 아이라도, 자신이 좋아하는 일에는 누구보다도 전문가다운 모습을 보일 수 있다. 무엇인가를 즐기는 사람은 그 자체로 이미 몰입을 하게 되고 그 일이 즐거움이 되니, 단순히 그 일을 아는 사람보다 뛰어날 수밖에 없을 것이다.

머리로 알게 된 것이 가슴에 와 닿으면 좋아하게 되고 좋아하면 자꾸 그것을 추구하게 된다. 좋아하는 단계는 아직도 인위적인 것이고 집착이 있는 단계지만 좋아하는 것에서 발전해 즐기는 단계에 이르면 집착에서 벗어나게 된다. 집착에서 벗어나면 마음에 스트레스나 거리낌이 없어져 자유로움을 얻게 되는데, 이렇게 아집에서 벗어나 자연과 동화되었을 때 나타나는 마음의 상태가 즐거움이다.

공자의 이 말씀은 오락이나 공부, 예술 감상 등에 두루 적용된다. 처음에는 방법을 겨우 익혀 하는 것이 고작이지만, 이것이 몸에 배면 재미를 느낄 여유가 생겨 좋아하게 되고 좋아하다가 수준이 높아지면 묘미를 알게 되어 그 이후로는 즐기게 되는 것이다.

목표가 있어서 어떤 지식을 습득하거나, 시험에서 일등을 하겠다는 목적 등을 달성하고 나면 곧 싫증이 날 수 있다. 하지만 독서나 탐구하는 일 그 자체를 좋아한다면 이는 단지 목적을 이루는 수단으로 지식을 습득하는 것보다 훨씬 낫다. 즉, 의무적으로 하는 것이 아니라 그 일을 진정으로 즐기면 누가 강요하지 않아도 푹 빠져드는 것이다.

즐기는 사람은 마음이 편하고, 마음이 편하면 더 높은 경지에 오를 수 있다. 독자 여러분도 무엇을 하든 그 자체를 즐긴다면 더 큰 사랑과 행복을 느끼고 보람된 인생을 살아갈 수 있을 것이다.

지도자의
얼굴

중국 주나라의 강태공姜太公이 재상을 지낼 때 지도자의 상像에 관해 했던 말을 음미해보자.

착한 일인지 알면서 실천하지 않고, 실천으로 옮길 시기가
되었는데도 주저해서 때를 놓치고, 옳지 않다는 것을 알면서 손을
끊지 못하고 계속 해나간다. 이 세 가지를 모르면 지도자가 아니다.
부드러우면서도 냉정을 잃지 않으며, 공손하면서 마음속에 경건한
생각이 있고, 강력하면서도 유화한 정신을 잃지 않으며 인내할 때는
인내하면서 마음속에는 불의에 굴하지 않는 강의(剛毅, 의지가 굳세고
강하여 굽히지 않음)함이 있어야 한다. 이 네 가지가 지도자상이다.

정의가 사욕을 이길 때는 나라가 번영하고 사욕이 정의를 이길 때는 나라가 망하게 된다. 공경하는 마음이 게으른 마음을 이길 때 나라가 발전하고, 게으른 마음이 공경하는 마음을 이길 때는 나라가 멸망하게 된다.

참된 지도자가 되기 위해서는 위와 같이 많은 도덕률을 내포해야 한다. 많은 덕목을 하나하나 생각하며 지키는 게 여간 쉽지 않아 보이지만, 이 모든 것을 아우를 방법이 있다. 바로 언제든 반성하고 깨어 있도록 노력하는 것이다.

'사랑, 인, 자비'라는 도덕률의 근본은 내 마음속에 있다. 그 본성을 늘 깨어 있게 하기 위해서는 항상 내가 무엇을 하는지, 어떤 마음을 갖고 있는지 자문해야 한다. 그렇게 할 수 있다면, 자신을 잘 다스릴 수 있고, 더 나아가 타인을 살피고 소통할 줄 아는 훌륭한 지도자가 될 수 있다.

'수신제가치국평천하修身齊家治國平天下'라는 말처럼, 모든 일은 바로 나 자신으로부터 시작된다. 항상 자신의 마음과 생각을 살피며 훌륭한 지도자가 되기 위한 초석을 닦아 나가길 바란다.

무소유의
지혜를 찾아서

법정 스님의 『무소유』에는 이런 일화가 실려 있다.

법정 스님께서 누가 가져다준 난을 열심히 키웠는데, 어느 날 서울에 볼일이 생겨 집을 나섰다. 그런데 깜박하고 난을 햇빛이 있는 곳에 내놓고 그늘에 들여다 놓는 것을 잊었다. 온종일 그 난이 햇빛에 말라 죽지 않았을까 걱정한 스님이 집에 돌아와 보니 역시나 난은 시들시들해 있었다. 정성껏 보살펴 겨우 난을 살려낸 후 스님은 '내가 너무 소유하려고 하니 고통을 받았구나' 하고 생각했다. 그래서 그 난을 마침 스님께 찾아온 도반에게 주고 나니 오히려 마음이 편안해졌다.

법정 스님의 또 다른 일화가 있다. 스님께서 버스를 타려고 나왔는데 그만 버스를 놓치고 말았다. 그때 스님께서 '저 버스는 내가 탈 버스가 아니다. 다음에 오는 버스가 내가 탈 버스다'라고 생각하니 버스를 타지 못해 안달이던 마음이 놓였다고 한다.

이런 일화들을 통해 법정 스님이 말씀하시고자 하는 무소유의 진정한 의미는 무엇일까? 내가 가지고 있는 것을 버리는 것만이 무소유일까? 소유라는 것은 내가 갖는 것인데 모든 사물은 내가 갖거나 말거나 그대로 있다. 문제는 내가 그것을 내 것이라고 이름을 붙여서 제한하는 것이다.

버스는 버스대로 길을 가는 것이다. 버스는 단지 운행 시간에 맞춰 갔을 뿐인데, 버스의 시간표를 내 것으로 만들려고 하니 고품가 생긴다. 그 마음을 무소유의 정신으로 과감하게 버려야 자유를 가질 수 있다.

무소유는 내가 지금 무엇인가를 잠깐 가지고 있지만 누구든지 그것을 가질 수 있다고 인정하는 것이다. 누구든 가질 수 있는 것을 오직 내 것이라고 한정 짓고 소유함으로써 많은 고품가 생겨난다. 내가 가지고 있다고 하더라도 언제든 사라질 수 있다고 생각하는 것이 바로 무소유의 의미이니, 이런 무소유의 마음이야말로 지속적인 행복의 발판이 된다.

현재를 잘 살려면
집착에서 벗어나라

불교에는 '색즉시공, 공즉시색色卽是空 空卽是色'이라는 말이 있다.

이는 색色이 곧 공空이요 공이 곧 색이라는 뜻으로 공이란 텅 빈, 아무것도 없다는 뜻이 아니라 실체가 없다는 뜻이다.

이 말의 깊은 뜻을 해석하자면 가령 황금으로는 황금 사자도 만들 수 있고 황금 돼지도 만들 수 있는데 황금 사자를 녹이면 황금 사자는 없어지지만 황금이 없어진 것은 아닌 것처럼, 눈에서 사라진다고 해서 그것이 아무것도 아니게 되는 것은 아니다.

색이란 모두 공에 불과하며 우리가 특정한 대상으로 생각하는 어떤 것들도 실은 광범한 연계 위에서 그때그때 대상으로서 나타날 뿐, 그 테두리를 벗어나면 이미 그것은 대상이 아닌 다른 것으로 변하는 것이므로 그 대상에 언제까지나 집착할 필요는 없다.

이를테면 살아가면서 일으키는 여러 가지 실수에 대해서도 이런 공의 의미를 잘 알면 연연하지 않을 수 있다. 실수를 안 하는 것이 제일 좋지만, 실수를 했다고 해서 거기에 집착하면 거기서 또 다른 실수를 일으키는 것이니 매사 집착할 필요가 없다.

우리에게는 항상 지금 바로 이 순간, 현재가 제일 중요하다. 세상에 집착하지 않으면서 세상을 위해 열심히 사는 방법에 대한 가르침을 본받아 현재를 잘 살면 언제나 후회 없이 살 수 있다.

우리는 만물 중에 영원한 것은 하나도 없음을 알아야 한다. 그것이 어떤 것이든 언젠가 끝이 오기 때문에 영원하지 않다고 해서 아쉬워하거나 원망해서는 안 된다. 그렇게 떠나가는 것들에 대해서 포기할 줄 알아야 한다.

예전에는 가전제품을 하나 구입하면 10여 년을 사용한다고 했지만, 요즘 가전제품들은 점점 수명이 짧아진다. 사람이 쓰는 물건이기에 언젠가 고장이 나고 버려지게 될 것인데, 한번 구입해서 평생을 써야 한다는 생각에 사로잡히면 그러한 집착은 자기 자신을 괴롭히게 된다.

영원이라는 집착에 빠지려 할 때 우리는 빨리 변화해야 한다. 집착하지 말고 생각을 유연하게 바꿔 나가는 것이 건강하게 살아가는 중요한 방법이다.

인생이라는
사막 앞에 섰을 때

KBS2에서 방송하는 〈사람과 사람들〉은 나름의 문제의식을 가지고 새로운 삶을 선택한 개인의 모습을 담은 프로그램이다. 이 프로그램의 여러 가지 에피소드 중 '사막 위의 두 남자'라는 제목의 방송분에 관해 이야기하고자 한다.

'사막 위의 두 남자'는 정상에서 만나자고 외쳤던 대기업 입사 동기인 두 사람의 이야기이다. 중년이 된 지금 한 사람은 뇌종양으로 반신불수의 몸이 되었고, 한 사람은 거듭된 사업 실패로 모든 것을 잃었다. 인생의 절벽과 마주한 중년의 두 친구는 함께 사막으로 여행을 떠난다. 두 사람이 끝도 없이 펼쳐진 막막한 땅인 사막을 여행지로 택한 이유는 이런 것이었다.

"늘 도전하며 살아왔던 인생이었고 정상을 바라보며 달렸지만 돌아보니 막막한 사막이었다. 사막 길인 인생을 한번 이겨보겠다는 각오로 걷기 위해 도전하게 되었다."

사막으로 떠난 두 남자 중 한 사람은 6년 전에 뇌종양 수술을 받고 완쾌된 줄 알았으나 재발 판정을 받았다. 시한부 생을 살고 있지만 그래도 희망을 잃지 않고 자신을 이겨내고자 사막 횡단을 선택했다. 다른 한 사람은 회사에서 나와 여러 사업에 뛰어들었고 실패하여 모든 재산을 잃었지만 역시 시한부 인생을 사는 친구와 마찬가지로 포기하지 않았다.

두 사람은 비록 현재가 막막하고 괴롭지만 지금 할 수 있는 것들은 최대한 해보자고 결심했고, 그 절박함이 두 사람을 사막으로 이끌었다.

세상을 살면서 우리에게 시도 때도 없이 수없는 고난이 닥친다. 하지만 고난이 없는 삶은 무의미하다. 고난은 극복될 수 있고, 가장 중요한 것은 우리가 현재 살아 있다는 것이다.

만약 여러분도 인생길을 걷다 고난을 맞닥뜨린다면, 그 고난 속에서도 목표와 꿈을 잃지 말아야 한다. 우리의 마음이 약해질 때가 제일 불행한 것이다. 내가 지금 맞닥뜨린 문제를 해결할 수 없다고 생각하고 있다면 그러한 생각은 당장 버려야 한다. 우리가 세상에 할 수 없는 것은 없다. 다만 자기가 자신을 제한할 뿐이다.

저 두 사람은 사막 횡단이라는 목표를 세운 뒤 아픈 몸과 마음을 이끌고 목표를 향해 끝도 모르는 길을 묵묵히 걸어갔다. 막막했던 사막 횡단에 성공하고 그것을 좋은 기회로 삼아 앞으로 나아갈 용기와 힘을 얻는 모습을 통해 많은 사람이 삶에 대한 강한 의지와 감동을 느꼈다. 독자 여러분도 앞이 막막하고 자신이 불행하다고 생각할 때 거기서 주저앉거나 안주하지 말라. 그 고난을 이긴 자야말로 훨씬 더 크고 넓은 세상과 행복을 가진 참된 사람으로 거듭날 수 있는 것이다.

자신에 대해
웃을 수 있는 사람

『탈무드』에는 다음과 같은 말이 있다.

"자신에 대해 웃을 수 있는 사람은 남의 웃음을 사지 않는다."

여기서 남의 웃음은 비웃음을 말하는 것이다. 자신에 대해서 웃을 수 있는 사람은 자신을 객관화하여 볼 수 있는 사람이라는 뜻이다. 우리는 어떤 일을 해놓고 뒤돌아 생각해보면 후회스럽기도 하고, 그 행동 때문에 나 자신이 미워질 때도 있다. 하지만 객관적으로 자기 성찰을 하는 사람은 자신을 미워하지 않고, 자기를 향해 웃을 수 있다.

자기라는 것은 습관, 언어, 가정, 지식, 역사, 전통, 환경 등에 의해서 만들어진다. 이를 통해, 정확한 사고를 방해하는 편견偏見들로 만들어진 나를 항상 나 자신으로 착각하며 살게 된다. 그러나 그런 편견을 파괴할 수 있다면, 자신을 객관적으로 볼 수 있다.

이렇게 자신을 객관적으로 볼 수 있고 자기 성찰을 할 수 있는 사람들은 마음의 여유를 가진 사람이다. 철학적으로 이야기하자면 본능에 이끌려 산다는 것은 마음의 여유가 없어 자신을 객관적으로 보지 못하고 주관적으로 보는 것이다.

외부적인 상황도 여기에 한몫을 한다. 우리는 늘 사물의 일면에 집착하기에 그 본질을 모른다. 자신에 대한 성찰이 없으면 진정한 자신을 보지 못하는 것처럼, 사물에 대해서도 겉으로 드러난 단편적인 인상만 본다면 그 진면목을 제대로 알 수 없다.

다시 개인적인 상황으로 돌아오면, 사물에 대한 접촉에서 떨어져 자신을 타자화해서 보는 것으로부터 객관적으로 상황을 파악할 수 있는 지혜가 나온다. 나를 그렇게 볼 줄 아는 사람은 남도 그렇게 볼 수 있다. 남도 그렇게 보기 때문에 타인을 용서할 수 있는 것이다. 내가 보는 저 사람이 그 사람의 전체가 아닌 것처럼 그 사람 본래의 자아를 들여다보면 나와 동일성을 가진 사람임을 알 수 있다.

이런 생각을 가진다면 여유 있는 마음으로 타인을 용서할 수 있고, 이해할 수 있기 때문에 누가 뭐라고 하든 상대방과 나 자신을 비웃지 않는다. 또한, 이렇게 객관적인 시각을 가진 사람은 언제나 자신의 행동을 자제하고 절제할 줄도 알기 때문에 비웃음을 살 일이 원천적으로 봉쇄되는 것이다.

우리는 언제나 자기를 성찰하고 반성해야 한다. 우리가 감사의 마음을 나누는 것도 자기 성찰에서 나온다. 자기 성찰이 없다면 감사한 것이 무엇인지 모르게 된다. 자신의 정신이 맑을 때는 아주 작은 것도 감사한 생각이 들지만, 자기 감정이 복잡할 때는 아무리 크게 감사할 일이 있더라도 감사한 생각이 들지 않는 것이다.

자기중심적인 사람은 자신을 냉정한 입장에서 바라보지 못한다. 밖을 보는 눈은 있어도 안을 볼 수 있는 눈은 없기 때문이다. 이러한 사람은 남을 보고는 웃어도 남이 자기를 보고 웃으면 화를 낸다. 자신의 어디가 우스운지를 모르는 것이다. 자신을 왜 비웃는지 아는 사람은 그것을 고칠 수 있고 남에게 웃음을 사더라도 너그럽게 받아들일 수 있다. 마음의 여유를 가지고 자기 성찰을 하는 시간을 가져라. 늘 자신의 생각과 행동을 되돌아보며 내면을 다듬는 시간을 통해 자기 성장의 발판을 마련하기 바란다.

성장에는
모든 과정이 필요하다

　사람은 누구나 여러 과정을 겪으며 성장한다. 우리 모두 나이가 들어가면서 세대별로 꼭 겪어야 할 일이 있다. 10대에는 사춘기, 20대에는 애정 문제, 30대에는 직장 문제, 40대에는 가정 문제 등 각자의 고민들로 바쁘다.

　공자는 『논어』 「위정爲政」편에 다음과 같은 말을 하였다.

자왈子曰 오십유오이지우학 삼십이립吾十有伍而志于學 三十而立

사십이불혹 오십이지천명四十而不惑 伍十而知天命

육십이이순 칠십이종심소욕 불유구六十而耳順 七十而從心所浴 不踰矩

"나는 열다섯에 학문에 마음을 두었고, 서른에 뜻을 세울 수 있었으며, 마흔에 미혹되지 않았으며, 오십에는 하늘이 명하는 바를 알게 되었다. 육십에 귀가 순해지니 남의 말을 수용할 수 있었고, 칠십에는 마음이 하고자 하는 바를 그대로 따라도 법의 테두리를 벗어나지 않더라."

우리는 누구나 거치는 과정별로 성장통을 겪는다. 시기마다 어려움을 겪을 때는 왜 나한테만 이런 일이 생기냐고 자기 학대를 하기 쉽지만 이를 받아들이고, 그 모든 것이 내가 성장하는 과정이라고 생각하며 극복해야 한다.

우리에게는 이겨낼 수 없을 것 같은 홍역 같은 일이 종종 생긴다. 하지만 그럴 때마다 자기 자신을 부정하거나 자책하지 말아야 한다. 우리가 살면서 생애 주기별로 이뤄야 할 목표가 있듯이 주기별로 성장통도 거쳐야 하는 법이다.

예를 들어 70대 노인이 아직 내 육체가 건강하다며 무리해서 몸을 움직인다면 건강이 악화될 것이다. 누구나 노인이 되면 쇠퇴해가는 자신의 육체를 인정하고 그전과 다른 노년의 삶을 받아들이는 노력을 해야 한다.

젊은이들은 지긋지긋한 청춘이 빨리 갔으면 하는 생각이 들 수도 있다. 하지만 20대, 30대에 성장통을 겪으며 그것을 극복해 나가는 것은 어떻게 보면 아주 감사한 일이다. 씨앗이 싹을 틔우기 위해서는 관심이라는 햇살과 인내라는 양분이 필요하듯이 꽃을 피우기 위한 과정에서 우리는 성장통을 겪어야만 크게 성장할 수 있기 때문이다.

마찬가지로 깨달음도 현재의 삶, 현재 내가 겪고 있는 과정에 충실함으로써 얻을 수 있다. 무언가를 깨닫는 데 거창한 계기가 있어야 하는 것은 아니다. 많은 사람들이 인도, 이스라엘 등으로 깨달음을 얻기 위해 성지순례를 다녀오곤 한다. 그러나 나는 개인적으로 성지순례를 다녀오는 것이 내키지 않았다. 그래서 여러 차례 기회가 있었지만 성지순례를 다녀오지 않았다. 룸비니 동산에 다녀오지 않더라도 부처의 깨달음을 얻을 수 있다. 꼭 성지순례를 해야만 부처의 가르침을 깨닫는 것은 아니라는 믿음이 있었기 때문이다.

그러면 깨달음을 얻기 위해 무엇을 해야 할까? 나는 우리 앞에 놓인 고행을 잘 견디는 것으로 깨달음을 얻을 수 있다고 생각한다. 또한 지금 개인적 환경이 조금 나쁘더라도 극복하려는 의지를 갖고 앞으로 나아가는 길에 깨달음이 있다고 생각한다.

현재에 만족하지 못하며 물질적인 부자가 되지 못함에 절망하는 것은 행복을 저해하는 생각이다. 부자로 사는 사람일수록 그 영혼은 썩기가 쉽다. 편한 길만 쫓아가다가는 쉽게 나태해지기 때문이다. 매일 좋고 기름진 음식만 먹으면, 그 음식이 얼마나 좋은지 진정한 가치를 알지 못한다. 그렇기에 진정한 깨달음과 행복은 내가 지금 만나는 고난을 하나하나 겪으면서 얻어지는 것이라고 할 수 있다. 현재에 충실함으로써 얻을 수 있다.

독자 여러분 또한 자신이 성장통을 겪고 인생의 고비를 만나면서 진정한 어른이 되어가는 과정 안에 있음을 일찍 깨닫고, 자학하며 자기를 아프게 할 것이 아니라 각각의 과정을 더욱 슬기롭게 극복해나가는 지혜로운 사람이 되길 바란다.

어떤 순간에도
포기하지 마라

2차 세계대전 당시 독일 나치 정권은 폴란드의 아우슈비츠 수용소에서 100만 명 이상의 유대인을 학살하였다. 유대인들은 단지 유대인이라는 이유만으로 목숨을 잃어야만 했는데 나치는 무고한 유대인들에게 죄를 씌우기 위한 방법으로 최소한의 음식 제공을 선택했다. 사람이 굶주리면 윤리와 도덕, 법을 생각할 겨를이 없다는 것을 이용해 양심을 잃어버린 사람들부터 먼저 처형했던 것이다.

나치 정권은 이렇게 인간의 심리를 이용해서 유대인들의 양심을 빼앗고 죄의 명목을 만들었다. 하지만 그런 상황에도 인간이 지녀야 할 품위를 잃지 않고, 깨진 유리를 갖고 면도를 하는 사람과 목을 축이기도 모자란 물을 남겨 양치를 하는 사람들도 있었다. 인간이 위대한 것은 이렇듯 그 양심을 지키기 때문이다.

비행기가 추락해서 히말라야에 3명의 사람이 떨어졌는데 결국 배고픔을 이기지 못하고 서로 싸우고 그 인육을 먹고 견뎠다는 이 야기처럼, 인간의 기본적인 욕구를 빼앗기게 된다면 인간은 동물과 같이 되고 결국 양심이 무너지고 만다. 인간은 영혼과 양심이 있기 때문에 인간일 수 있다. 따라서 어떤 상황에서도 자신의 영혼을 잃지 않는 사람, 최후까지도 인간이라는 자존심이 무너지지 않도록 노력하는 의지를 가져야 한다.

2016년 6월 스위스 국민이 월 300만 원의 기본소득이 지급되는 헌법 개정안에 거부한 것은 당장의 공짜보다는 지속 가능한 미래를 선택했기 때문이다. 기본소득 도입으로 삶의 질이 높아지리라는 기대보다는 국민의 근로의욕을 떨어뜨려 국가 경제가 망가질 수 있다는 우려가 컸던 것이다.

인간은 노동을 해야 한다. 노동은 인간의 고유한 활동이며 인간은 노동을 할 수 있는 유일한 존재이다. 노동이란 인간과 세계의 끊임없는 상호 생산을 가능하게 하는 창조적인 활동이다.

인간이 이러한 노동을 지속해야 하는 것은 우리가 우리 삶의 주체성을 가지고 살아가기 위해서이다. 우리는 마지막 순간까지도 우리 삶의 주체성과 자신의 미래를 포기하지 말아야 한다. 요즘 세대들은 자꾸 많은 것들을 포기하려고 한다. 포기하지 않으면 꿈이 이루어진다는 것을 모르기 때문이다.

최근에 처칠이 쓴 회고록이 발간되었다. 그가 수상일 때 옥스퍼드 대학 졸업식 축사에서 했던 첫마디는 "포기하지 말라Never give up!"였다. 청중들은 그 말이 끝나자 다음 말을 기다렸다. 그러자 처칠은 "절대로, 절대로, 절대로 포기하지 말라!"라고 다시 한 번 큰 소리로 외쳤다. "Never giver up!" 이것이 그날 축사의 전부였다. 청중들은 이 연설에 우레와 같은 박수를 보냈다. 청중들의 이 박수는 그의 연설 내용에 대한 감동과 더불어 그 말을 증명하며 살아온 그의 인생, 포기를 모르며 고난을 극복해온 그의 인생에 대한 보답의 차원에서 보낸 것이었다.

처칠은 팔삭둥이 조산아로 태어나 말을 더듬는 언어장애에 학교에서 성적은 항상 꼴찌를 맴돌았으나 결코 포기하지 않았고 열심히 노력해 훗날 노벨문학상을 수상했으며, 위대한 정치가로 영국 총리를 지낸 입지전적인 인물이었다.

제일 허름한 인간은 포기하는 인간이다. 우리는 어떠한 상황에서도 인간의 존엄성과 주체성과 미래를 포기하지 않는 태도로 살아가야 한다. 무엇인가 목표를 세우고 절대 포기하지 않으며 희망을 찾도록 해야 한다. 닥쳐온 운명을 회피하지 말고 포기하지 말자. 인생은 포기하지 않는 자에게 행운이 오는 법이다.

선한 욕망의
추구

최근 한 TV 프로그램에서 욕망의 윤리라는 주제로 토론하는 것을 보았다. 언뜻 듣기엔 욕망에 윤리가 있다는 것 자체가 모순으로 느껴질 수 있지만, 여기서 논하는 윤리는 선한 욕망의 추구를 의미한다.

선한 욕망이 정당성을 갖기 위해서는 자신이 살아가는 모습을 객관적으로 인지하는 것, 즉 존재성의 회복이 필요하다. 존재성이 회복되기 전에는 돈이나 사회적 지위 등 물질적, 표면적인 가치에 매몰되어 나와 타인을 있는 그대로 바라보지 못한다. 때로는 자기 욕망을 충족시키기 위해 타인의 존재까지 파괴하기도 한다.

존재성의 회복을 위해서는 나뿐만 아니라 모든 것이 살아 있음을 인정하고 서로가 하나가 되는 만다라滿茶邏를 추구해야 한다. 철학적인 표현으로 모든 대물代物을 즉자即自적으로 인식하려 할 때 즉, 본디 각자가 다 보배임을 깨닫고 선입견이나 편견과 같은 마음의 벽을 없애려 할 때 우리는 비로소 자기 인식을 하게 되고 모든 것을 순수하게 보고 들을 수 있다.

향을 싼 종이에는 향내가 배듯이, 지혜롭고 어진 자와 어울리는 이에게는 좋은 향이 나고 생선 묶은 새끼에는 비린내가 나듯이 포악하고 남을 헐뜯는 사람과 어울리는 이에게는 악취가 난다. 독자 여러분은 지혜로운 사람과 벗하며 참다운 법을 깨우치는 향기로운 사람이 될 수 있도록 자신을 잘 살펴보시기 바란다. 또한, 이렇게 향기가 나는 사람이 되어 더불어 잘 살 수 있는 선한 욕망을 추구하기 바란다.

정의와 군자의
의무

군자라면 마땅히 이 사회에서 평등과 정의를 구현하는 의무를 수행해야 한다.

현대 사회에 사는 우리는 인간은 태어날 때부터 평등하다고 교육 받고 있다. 하지만 실상 우리는 태어나는 순간부터 불평등 속에서 살아간다. 가정환경, 경제적 여건, 유전자와 같은 요인 탓에 서로 다른 출발선에 설 수밖에 없는 것이 현실이다.

이에 『불평등의 역사』라는 책을 쓴 루소를 비롯해 여러 철학자들이 현실적인 불평등을 주장해온 것처럼, 우리가 교육받았던 평등은 현실에서는 구현되지 못하고 있다.

그렇다면 이러한 현실에도 불구하고 우리는 왜 평등을 요구하는 것일까? 이 이야기를 하기 위해서는 희랍 신화의 알테와 플라톤의 상기설을 들여다볼 필요가 있다.

희랍 신화에 따르면 사람이 태어날 때 레테라는 강을 건넌다고 한다. 레테는 은폐라는 뜻을 지니고 있는데, 어머니 뱃속에서 나올 때 망각의 상태로 태어나는 이유가 바로 이 레테의 강을 건너기 때문이라고 한다.

그러나 훈련을 통해서 망각하고 은폐되어 있던 것들이 하나씩 드러나며 앎이 가능해지는 것이다. 이를 플라톤의 상기설에 비추어 설명하면, 세상에 태어나 훈련을 받으며 레테의 강을 건너기 전의 기억을 되찾게 된다는 뜻이다. 따라서 알테는 은폐되어 있던 것들이 드러난다는 의미에서 투명성, 광명, 진리를 일컫는다.

이 진리의 상기가 바로 평등과 연결된다. 레테 강을 건너기 전에 알고 있던 진리를 찾아 나가면서 평등을 바탕으로 한 정의를 실현해야 하는데, 이 세계가 형성된 이후에 평등과 정의가 실현된 나라는 단 한 곳도 없다. 마르크스와 레닌이 모든 것을 평등하게 하자면서 공산주의를 주장했지만 결국 실패로 끝난 것에서도 알 수 있듯이 불평등은 그저 사라져야 할 사회악이 아니라 인정할 수밖에 없는 현실이다.

그렇다면 불평등 속에서도 정의를 구현할 방법은 무엇이 있을까? 바로 각자가 가진 요건들을 변화시키는 선한 습관과 덕을 조화시키는 것이다. 즉 에토스(ethos, 습관)와 노모스(nomos, 법)를 잘 연결해서 자기 행동과 결단이 올바르게 나아갈 수 있도록 해야 한다. 습관이 훈련이 되면 덕virtue이라는 선한 에토스가 형성되고, 그것이 법과 조화가 되면 행복이라는 세계에 도달할 수 있다.

지금까지 우리는 주입식으로 정의와 평등을 배워왔지만, 이제는 불평등이라는 불가피한 현실을 마주하고 해결책을 찾아야 한다. 그리고 그 출발은 바로 나에게서 시작되어야 한다. 최소한의 도덕인 법을 지키고, 자기의 내면적 습관을 훈련해야 한다.

습관을 훈련하기 위해서는 비이성적 세계를 이성적 세계로 전환해야 한다. 그리고 그 중심에는 파토스(pathos, 열정)가 필요하다. 그리고 이러한 열정은 고통을 감수해야 그 기능을 다한다. 우리 안의 파토스를 부활시켜 선한 덕을 습관화하고 이를 사회적 법규와 잘 조화시켜 진정한 정의를 구현해 나가는 것이 군자의 면모라고 할 수 있다.

군자는 이처럼 자신에게 주어진 다양한 의무를 피해서는 안 된다. 세속적인 성공만을 거둔 이후 그것을 누리는 데에만 열중한다면 그는 단지 출세한 사람일 뿐 군자라고 불릴 수는 없다.

세계적인 성인 중 한 명인 석가모니는 '샤캬족의 우두머리'라는 이름의 뜻 그대로 샤캬족의 왕자로 태어나 풍족한 생활을 누렸다. 그는 방탕한 생활을 계속하던 중 29세에 출가하여 고행을 통해 깨달음을 얻게 되었다. 그리고 힌두교 사상과 왕족, 귀족, 노예 등 신분제(카스트 제도)가 만연했던 당시의 인도에서 "모든 백성은 다 하나다", "백성 한 명 한 명이 부처와 같다", "무량광 무량수(無量光 無量壽, 무한한 지혜와 수명)"와 같은 가르침을 전했다.

공자 역시 인을 실천하는 군주를 찾기 위해서 72개국을 돌아다니는 고행을 겪어야만 했다.

예수는 이스라엘 백성을 비롯한 모든 사람을 구하기 위해 십자가에 못 박혀 죽는 고행을 했다. 이로써 선택받은 자만 구원받을 수 있다는 이스라엘의 선민 의식과 절대 의식을 깨뜨렸고 모든 민족이 구원받을 수 있다는 가르침을 널리 알렸다.

이처럼 모든 성인은 깨달음을 얻기 위해 죽을 고비를 넘기며, 가난, 고통, 고뇌에 직면했지만 결국에는 이것들을 극복해냈다. 오늘날 영국 왕실에는 윌리엄 왕세자를 비롯한 로열패밀리들이 군에 입대하여 가장 힘든 곳에서 병역의 의무를 치르는 전통이 있다. 지도자가 되기 위해서 평온한 삶에 안주하지 말고 노블레스 오블리주noblesse oblige를 통해 진정한 깨달음을 얻는 것이다. 어느 정도의 위치에 올랐다 해도 거기에 안주하여 혜택을 누리기만을 바라지 말고, 자신에게 주어진 군자의 의무를 더 적극적으로 이행해야 한다.

우뇌를 활용한
자기 혁명

인간의 뇌는 크게 좌뇌와 우뇌로 이루어져 있다. 우리가 이 세상에 태어나서 경험하는 의식 세계, 즉 감정과 이성 등이 좌뇌에 속해 있다면 우뇌에는 선천적으로 존재하는, 수백만 년에 걸쳐 누적된 인류의 역사적 경험들이 담겨 있다. 여기서는 특히 우뇌 활용의 중요성에 관해서 이야기하고자 한다.

우리는 대개 의식 속에서 살아가기 때문에 좌뇌의 협소한 경험만을 활용하는 경우가 많다. 하지만 흔히 기적이라고 부르는 것들은 의식의 힘만으로는 해결하기 어렵기 때문에, 우뇌를 자극하여 의식을 초월하는 경험을 끌어냄으로써 원하는 바를 이루기 위한 해결책을 얻어야 한다.

앞서 언급했던 하루야마 시게오의 『뇌내혁명』에서도 역시 의학적인 분석을 곁들여 우뇌 활용의 중요성을 강조하였다. 먼저 좌뇌의 의식 세계를 자극하면, 그 자극이 좌뇌와 우뇌 사이에서 교량橋梁 역할을 하는 뇌량腦梁을 통해 우뇌로 전달된다. 그럼 우뇌에 있는 무한한 능력이 다시 좌뇌로 전달되어 기적을 일으키는 힘을 발휘할 수 있다는 것이다.

기적을 향한 문을 두드릴 수 있는 우뇌 활용법으로 가장 좋은 것은 바로 명상이다. 명상을 위해서는 먼저 의식에 집중해야 한다. 그러다 보면 무의식 속에 빠져들게 되고 상상이 일어난다. 또 상상에 집중하게 되면 상상마저 없어지는 경지에 이르는데, 그때 비로소 오랜 시간에 걸쳐 축적된 인류의 경험과 닿아 위기의 극복, 성공, 아픔을 이겨내는 방법 등을 구할 수 있다.

더 나아가 우뇌 활동의 세계는 곧 자아를 찾는 과정이기도 하다. 아서 밀러가 『세일즈맨의 죽음』이라는 책에서 현대인들의 삶을 '다람쥐 쳇바퀴 구르는 듯한 삶'이라고 묘사한 바와 같이, 우리는 매일 똑같은 일을 반복적으로 하는 단조로움 속에서 살아가고 있다. 하지만 이런 일상에서도 명상을 통해 자기만의 초월세계超越世界를 구축할 수 있다.

즉 무의식無意識과 의식意識, 공空과 유有 사이에서 끊임없이 비어 있는 상태를 이끌어내면 일상 속에서 느끼는 수많은 감정에서 벗어나 자기만의 새롭고 즐거운 세계를 형성할 수 있다. '진공묘유(眞空妙有, 텅 빈 가운데 묘함이 있다)'라는 말이 바로 이러한 세계를 지칭하는 것이기도 하다.

이처럼 우뇌 활동은 협소한 의식 세계로부터 광대한 세계로 사고를 발전시킨다. 독자 여러분도 명상을 활용한 우뇌 활동을 통해 자기를 옭아매고 있는 것들에서 벗어나 기적을 만들고, 자아를 탐구함으로써 자신만의 세계를 만들어나가길 바란다.

우리에게는 상상력과 지혜 역시 필요하다. 선천뇌先天腦 라 불리는 우뇌를 활용하면 500만 년의 지혜를 끌어낼 수 있다. 그러기 위해 『뇌내혁명』에서 언급한 내용을 바탕으로 우뇌활용 실천적인 기술에 대해서 조금 더 생각해보자.

하루야마 시게오는 우뇌의 지혜와 상상력을 끌어내는 방법으로 다음과 같은 네 가지 방법을 제안했다.

첫째, 플러스 생각, 즉 긍정적인 생각을 해야 한다. 긍정적인 생각이 좌뇌와 우뇌 중간에 있는 뇌량腦梁을 통해 우뇌로 전달되어 지혜를 자극하기 때문이다.

둘째, 음식물을 균형 있게 섭취해야 한다. 단백질과 지방 등 영양소를 골고루 섭취하여 건강한 신체를 형성했을 때, 좋은 활력을 우뇌에 전달할 수 있다.

셋째, 운동을 꾸준히 해야 한다. 한 시간에 한 번씩 자리에서 일어나 몸을 움직이며 기분전환을 하고, 생활 패턴에 맞는 시간을 찾아 운동해야 무거웠던 몸이 가벼워져 좋은 에너지를 얻을 수 있다.

넷째, 좋은 상상을 하려고 노력해야 한다. 하루야마 시게오는 여섯 살 때부터 침술에 능숙했다고 한다. 한의사였던 할아버지가 침을 놓는 것을 이미지로 각인시키고, 침을 잘 놓는 자신의 모습을 계속 상상했기 때문이었다. 또한 도쿄대학교 대학병원 외과의사가 되어 수술을 앞두고 있을 때에는 수술하는 본인의 모습을 계속 상상하며 이미지 트레이닝을 했고, 그러한 노력 덕분에 수술을 잘하는 촉망받는 의사가 될 수 있었다. 이처럼 누구나 원하는 하는 바를 끊임없이 상상한다면 반드시 이룰 수 있다.

지식은 알고 있는 것 그 자체로는 의미가 없다. 하나를 알더라도 그것을 실천할 때 비로소 참된 지식으로 거듭날 수 있다. 독자 여러분도 이 네 가지 방법을 실생활에서 적극 활용하여 이루고자 하는 바를 실현하시기 바란다.

기도의 위대한
힘

종교의 유무와 관계없이 누구나 원하거나 이루고자 하는 바가 생기면 기도를 해본 경험이 있을 것이다. 소위 오복五福이라고 불리는 수壽, 부富, 강녕康寧, 유호덕攸好德, 고종명考終命을 위해 기도를 드릴 수도 있고, 평상시 원하는 것이 있을 때도 기도를 하곤 한다. 즉, 우리는 무언가를 갈구할 때면 영적인 힘에 의지하곤 한다.

영적인 힘이 흐르는 세계는 우리가 상식적으로 보고 느끼는 것들을 뛰어넘는다. 때문에 우리가 그 세계의 힘을 얻기 위해서는 앞장에서 말했듯이 수백만 년의 지혜가 담긴 우뇌를 적극 활용해야 한다. 그 구체적인 방법으로는 집중력을 기르는 것인데, 집중력을 기르는 가장 좋은 방법의 하나가 바로 기도이다.

기도의 성취는 세계에 있는 영적 에너지를 내가 집중적으로 쓴다는 것을 의미한다. 즉, 무엇인가 이루어진다는 것은 전체가 소유하고 있는 영적인 힘을 빌려 이 세계의 나와 우주의 영적 세계가 합일되는 경지에 이르는 일이라 할 수 있다.

이와 관련한 일화 하나를 소개하겠다. 한 아이가 아주 사랑하던 토끼가 구멍에 들어가 나오지 못하고 있었다. 아이는 사랑하는 토끼를 위해 온갖 정성을 다해 기도를 드렸다. 하지만 결국 나오지 못하고 죽고 말았다. 그날 이후 아이는 기도를 해도 소용이 없다는 생각에 기도를 하지 않았다. 그런데 어느 날, 같은 반 친구의 어머니가 아프다는 이야기를 들은 선생님은 반 친구들 모두 함께 기도를 드리자고 했다. 기도의 효험을 경험하지 못했던 아이는 못마땅했지만, 분위기상 하지 않을 수 없어 함께 기도했다. 그런데 얼마 후 기적적으로 친구 어머니의 병이 낫게 되었다. 많은 이들의 절실함이 영적인 세계에 닿아 힘을 발휘한 것이다. 그제야 아이는 타인과 전체를 위한 선한 기도를 드릴 때 기도의 효력이 발생할 수 있음을 깨닫게 되었다.

이처럼 여러분도 기도를 열심히 드렸지만 효험이 발생하지 않아 원하는 바를 성취하지 못했던 경험이 있을 것이다. 기도는 어떤 결과가 나와야 따르게 되어 있는데, 그렇지 못한 일들이 많으므로 해도 소용 없다고 생각하는 것이다. 그러나 이루어진 것도, 안 이루어진 것도 결국엔 나의 내공으로 쌓이게 되어 있다. 믿음이 이루어진다는 확신이 있을 때 마지막에는 순수해져 너와 나라는 대립 의식이 없어지는데, 그런 상태에서 성취가 이루어질 수 있다. 비록 이때 성취하지 못한다 할지라도 기도를 하는 과정에서 공들였던 노력은 모두 내공이 되어 언젠가 다른 것으로 이루어지게 되어 있다.

삶이라는 것은 불가측성不可測性을 지니고 있기 때문에 우리 인간은 항상 어떤 위험 속에 살고 있다. 늘 도사리고 있는 불안함 속에서 기도하는 자와 그렇지 않은 자는 큰 차이를 보인다. 결론부터 말하자면 그 일을 직면했을 때의 태도와 극복하는 것 모두 기도하는 사람이 더 낫다. 바깥으로 보이는 세계만 가지고 판단하고 행동하는 사람은 그 세계가 파괴되면 함께 파괴되지만, 성실하게 영적 세계를 추구하는 사람은 다시 일어날 힘이 생기기 때문이다. 소위 위대한 사람들이 그와 같은 경지에 도달할 수 있었던 이유 또한 불가능해 보이는 것들을 이루고자 하는 간절한 마음을 기도를 통해 실천하고, 결국은 그것을 가능케 하는 영적인 힘과 내공을 얻었던 데 있을 것이다.

따라서 '기도'를 단순히 종교적인 행위라고만 여기지 않길 바란다. 나 자신과 내가 원하는 바와 원해서 얻는 것 모두 깨끗하게 유지하고, 성실하게 노력하고 기도한다면 내가 감히 이룰 수 있으리라 생각지 못했던 것들에 가까이 닿을 수 있을 것이다. 그리고 설령 이

루어지지 못한다 할지라도 이루고자 하는 바에 들인 간절한 노력
은 언젠가 다른 곳에서 빛을 발할 것이다.

　이루고자 하는 것이 있는 사람은 행복하다. 그러니 독자 여러분
도 자기 안에 자신만의 큰 원(願, 바람, 소원)을 세워라. 불가능해 보일
지라도 마음을 깨끗이 하고 내 안에 위대한 힘이 있다는 것을 믿는
다면 언젠가 그 내공이 빛을 발하는 날이 올 것이다.

3부
—

스스로 지혜롭게
깨어 있기

자각하면
밝아진다

최근 동서양을 막론하고 명상에서 마음챙김mindfulness이라는 말이 유행하고 있다. 마음챙김이란 곧 자각自覺, 즉 스스로를 지키고 인식한다는 것을 의미한다.

4대 성인 중 한 명으로 꼽히는 석가모니는 매 순간 자신의 삶에 대해 의심하고, 이를 위해 극기하고 고행했다. 그 끝에 석가모니는 보리수 아래서 깨달음을 얻었다. 우리나라 불교계에서 손꼽히는 고승인 성철 스님은 처음 출가했을 때와 죽음을 앞둔 그날, "똑같다"라는 말씀을 남길 정도로 끝없이 한결같은 마음으로 자기 자신을 바라보고 입적의 순간까지 맞이하였다. 이처럼 우리가 마음을 다스리는 데 가장 중요한 것은 무엇보다 변함없이 자기 자신을 지속적으로 인식하는, 자각, 마음챙김이 중요하다. 그래야 깨달음도 얻고 밝은 지혜도 가질 수 있는 것이다.

다음은 『선가귀감』에 나오는 업業과 선善에 관한 말이다.

업자무명야業者無明也 선자반야야禪者般若也

명암불상적明暗不相敵 이고연야理固然也

"업이란 무명이요, 선은 지혜다. 밝은 것과 어두운 것이 서로 적이 될 수 없는 것은 당연한 이치다."

업이란, 말하고 행동하고 움직이는 것을 말한다. 즉, 고요하지 않은 것이다. 이러한 업은 곧 무명無明이다. 무명은 밝지 못한 혼란의 상태를 말한다. 그리고 선은 말하지 않고 행동하지 않는 고요한 생각을 의미한다. 이러한 선이 곧 지혜이다. 그리고 밝고 어두운 것, 이두 가지가 서로 적이 될 수 없음은 당연한 이치다. 밝음이 오면 곧 어둠은 사라지는 것이고, 반대로 어둠이 오면 밝음은 사라지는 것이기 때문이다.

내가 밝은 생각을 하면 밝은 것이고 어두운 생각을 하면 어두운 것이다. 원래부터 밝고 어두운 것은 없다. 모두 마음에서 비롯되었을 뿐이다. 이는 인간관계에도 적용해볼 수 있다. 적대관계에 놓여 있을지라도 그 관계마저 포용하면 적대관계는 사라지게 된다. 즉, 남을 이해하고 포용하고 아량을 베풀면 내가 편해지는 것이다.

또한, 말과 행동에서 치우치지 않는 일도 중요하다. 칭찬의 말을 계속하는 것은 중도를 지키는 것이지만 비난의 말을 계속하는 것은 곧 업이다. 생각을 하더라도 고요한 생각을 하며 집착하지 않는 것이 선이고, 그런 마음 상태에서 매 순간을 자각하면 지혜가 밝아지게 된다.

무엇을 자각하는가? 행복해지기 위해서는 항상 자신의 마음을 살펴보고 그 당처當處는 비어 있음을 자각해야 한다. 순간의 생각과 고통에 집착하며 사는 것이 아닌, 비어 있는 것을 아는 삶을 살아가야 한다.

부처님은 각자覺者이다. 여기서 각자란 깨달은 사람을 뜻한다. 부처님이 깨달은 것은 크게 네 가지로 정리할 수 있다.

일체개고一切皆苦, 모든 것은 고통이며
제행무상諸行無常, 모든 것은 영원하지 않다.
제법무아諸法無我, 불변하는 진리나 원칙은 존재하지 않는다.
열반적정涅槃寂靜, 열반의 경지는 조용하고 고요한 것이다.

모든 고통은 결국 내 마음속에서 비롯된 것이다. 그리고 그러한 내 마음은 본래 공적한 것이다. 즉, 생각이 일어나는 본래의 자리는 비어 있다는 것이다. 따라서 어떠한 생각이 일어나면 그 생각의 당처인 내 마음은 비어 있고 고요하다는 것을 자각하여 그릇된 행동으로 나아가지 않도록 해야 한다.

생로병사生老病死와 같은 일상에서 겪는 고苦를 극복하기 위해서도 마음의 평화가 필요하다. 즉, 항상 회광반조回光返照하는 태도가 필요하다. 회광반조는 언제나 시시각각 자신의 마음을 돌아보는 것을 뜻한다. 우리가 행복해지기 위해서는 이런 방식으로 항상 자신의 마음을 살펴보고, 그 당처는 비어 있음을 자각해야 한다. 순간의 생각과 고통에 집착하며 사는 것이 아닌, 비어 있는 것을 아는 삶을 살아가길 바란다.

어떻게 자각할 것인가? 자신이 지금 어떤 생각을 하고 있는지, 어떤 행동을 하고 있는지, 어긋난 것은 없는지 항상 인식하고 경계하는 것이 곧 마음을 집중하는 것이다. 바쁠수록 한 템포 쉬어가며 자신의 마음에 집중해보라. 마음에 집중하면 내 삶의 중요한 부분들이 더욱 생생해지고 좋은 변화가 이루어진다. 매 순간 마음을 집중하는 자각을 통해, 마음의 평정을 유지하는 삶을 살아야 한다. 항상 자신의 생각과 행동을 자각하는 습관을 길러보길 바란다.

두 종류의
행복

한국 불교계에서 선승禪僧이라 불리는 성철性徹 스님과 스님의 딸 불필不必 스님의 일화 한 편을 소개한다.

불필 스님이 '수경'이란 속명으로 경남 진주사범학교를 다니고 있던 당시, 한번 다녀가라는 아버지 성철 스님의 전갈을 받고 통영의 안정사 위 천제굴을 찾아갔다. 성철 스님은 불필 스님이 태어나기 전에 출가했기 때문에 천제굴에서의 만남은 태어나서 두 번째로 아버지를 뵙는 일이기도 했다.

마주 앉아 이야기를 나누다 성철 스님은 불필 스님에게 다음과 같은 질문을 던졌다. "너는 무엇을 위해 사노?" 이 물음에 불필 스님은 "행복을 위해 삽니다"라고 답했다. 그러자 성철 스님은 또 한

번 되물었다. "행복에는 영원한 행복과 일시적인 행복이 있는 기라. 너는 둘 중에 어떤 행복을 원하느냐?" 그제야 행복에는 영원한 것과 일시적인 것이 있음을 깨달은 불필 스님은 영원한 행복의 길로 가기 위해 출가를 결심했다. 그리고 사범학교를 졸업하자마자 성철 스님의 제자로 들어가 평생 불법 공부와 수행에 정진했다.

그렇다면 성철 스님이 말했던 영원한 행복은 과연 무엇이었을까? 영원한 행복이란 인격의 수양을 통해 느낄 수 있는 행복이다. 오욕을 탐하며 느끼는 행복이 일시적인 것이라면, 영원한 행복은 마음속에 화두를 품고 그것을 깨치기 위해 일심一心에 집중하여 진정한 대자유인이 되는 것으로 느낄 수 있다.

무엇이든 집중하면 지혜가 나오기 마련이다. 사사롭고 일시적인 행복 추구에서 벗어나 마음을 하나로 모으고 집중하며 지혜를 얻는다면 그 어떤 것과도 비견될 수 없는 크고 영원한 행복을 누릴 수 있을 것이다.

이루고자 하는 바가 물질의 추구가 아닌 인격의 도야라면 누구든지 영원한 행복의 길로 갈 수 있다. 독자 여러분도 영원한 행복이란 무엇인지 고민해보고, 마음을 집중하여 지혜를 얻는 시간을 가져보길 바란다.

진정한
행복의 조건

진정한 행복의 조건에 대해 생각해보는 시간을 가져보자.

첫 번째는 영원성이다. 한마디로 행복은 오래 지속되어야 한다. 돈을 펑펑 쓸 당시에는 흐뭇하고 행복하지만 이후에는 허무함과 후회가 밀려온다. 찰나의 순간에 느끼는 쾌락은 결코 오래갈 수 없기에 진정한 행복이라 볼 수 없다.

두 번째는 동질성이다. 행복을 느끼는 질이 항상 같아야 한다. 가령 맛있는 음식을 먹을 때는 행복하다. 그러나 음식을 다 먹고 난 후에는 먹기 전만큼의 행복감을 느낄 수 없다.

마지막으로 행복에는 자족성이 있어야 한다. 타인으로부터 비롯되는 행복이 아닌 내 마음속, 온전한 나로부터 행복이 나와야 하는 것이다. 그런 면에서 명예는 자족성이 없는 행복이다. 온전히 타인에 의해 주어지고 타인의 인정이 없어지는 순간 사라지고 마는 것에 불과하기 때문이다.

그렇다면 진정한 행복의 조건을 모두 만족시킬 방법은 무엇일까? 바로 나에 대해 자각하는 것이다. 자각한다는 것은 무의식에 의존하지 않고 매 순간 나의 행위에 집중함을 의미한다. 볼펜을 잡고 글씨를 쓸 때도, 운전하고 있을 때도 내가 그 행위를 하고 있음을 끊임없이 자각하면 그로부터 행복을 느낄 수 있다.

불가에 이런 말이 있다.

불기일념不起一念 명위영단무명名爲永斷無明
염기즉각念起即覺

"하나의 생각도 일으키지 않으면, 그것이 바로 무명無明을 영원히 끊은 것이다. 생각이 일어나면 바로 깨달아야 한다."

무명이란, 진리에 통달하지 못한 상태를 말한다. 즉 하나의 생각도 일어나지 않은 본연의 상태 그대로라면, 무명에서 벗어날 수 있다는 뜻이다. 따라서 항상 생각이 일어나면 그 본연의 상태에 대해 생각하고 이를 자각해야 한다. 앞으로 살아가면서 많은 갈등과 고난이 오더라도 바로 반응을 하는 것이 아니라, 항상 한 발짝 물러서서 다시 한 번 생각하고 행동하기를 바란다.

그러나 모든 순간 우리의 행위를 자각한다는 것은 결코 쉽지 않다. 잡념이 생기기 때문이다. 따라서 자각을 습관화하는 훈련이 반드시 필요하다. 꾸준히 노력한다면 자각하는 순간이 점점 많아지고 행복의 질도 높아질 것이다.

자각으로부터 오는 행복은 빈부貧富, 명예名譽, 지식知識과 관계없이 누구나 누릴 수 있다. 순간순간 나에게 집중하고 자각하며 충만한 행복을 느껴보기를 바란다.

탐욕을
비우자

『선가귀감』에 나와 있는 한 구절을 소개한다.

탐세부명貪世浮名 왕공노형枉功勞形

영구세리營求世利 업화가신業火加薪

"세상에 뜬 이름을 탐하는 것은 쓸데없이 몸만 괴롭게 하는 것이요, 세상 잇속을 찾아 헤매는 것은 업의 불에 섶을 더하는 것이니라."

이 구절을 한 시에 빗대어 좀 더 구체적으로 해석해보면 이런 것이다.

탐세부명: "기러기 하늘 멀리 날아갔는데 발자취 모래 위에 남아 있고 사람들은 저 황천에 갔건마는 그 이름이 집에 아직 남아 있네." 즉, 세상의 뜬 이름을 쫓아봤자 죽고 난 뒤엔 모두 허망한 것이라는 말이다.

왕공노형: "얼음을 조각하여 아무리 아름답게 할지라도 녹아서 사라지는 소용없는 솜씨가 된다." 이는 욕망을 추구했던 모든 노력이 부질없어진다는 것이다.

영구세리: "온갖 꽃을 옮아가며 애써 꿀을 모았더니 가만 앉아 입 다신 이 그 뉘런가 모를러라." 이것은 열심히 세상의 이익을 좇았지만 다른 이가 내 공을 가져가 버린다는 말이다.

업화가신: "거칠고 더러운 온갖 물건들이 욕심의 불을 일으키는 재료일 뿐이다." 즉, 인간이 만들어낸 욕망의 대상들이 다시 인간의 욕망을 키울 뿐이라는 말이다.

젊은 독자분들은 잘 느끼지 못할 수 있지만, 사람이 나이가 들면서 깨닫는 것들이 있다. 겨울 아침, 먼동이 틀 때 창가를 보면 새들이 먹을 것이 많지 않아 나무 위 작은 순을 먹기 위해 날아온다. 겨울이 되면 모든 것들이 움츠러들고 활동력이 부족해진다. 마찬가지로 나이가 들면 위도 작아지고 모든 게 다 작아진다.

그래서 젊었을 때처럼 식사를 많이 하면 문제가 된다. 나이 들수록 먹는 것도, 생각도, 말도 줄여야 한다. 젊었을 때는 명예를 추구하고 글도 잘 쓰고 싶고, 논문도 쓰고 싶고, 여러 가지 하고 싶은 것들이 많지만, 나이가 들면 다 같아진다. 지나고 보면 아무것도 아니다. 그래서 끊임없이 추구해도 허무함만 남는 세속에 치우치지 않고 탐욕을 비우고, 영혼이 고고한 사람이 되기를 소망한다. 또한 영혼이 고고한 사람과 함께 어울렸으면 한다.

첫 마음으로
돌아가자

서산대사가 한 말 중에 '수본진심守本眞心이 제일정진第一精進'이라는 말이 있다. 본래의 참마음을 지키는 것이 가장 으뜸가는 정진精進이란 말이다. 정진은 열심히 노력한다, 수양한다는 의미이고, 진심眞心은 균형이 유지된 마음, 평상심을 말하며, 이런 평정한 마음이 곧 도道이다.

무엇인가를 자주 하려고 하는 것은 마음의 균형을 깨는 일이다. 망상을 없애는 일이 바로 정진이다. 조주 스님은 '평상심시도平常心是道'라는 말을 남겼다. 가장 중요한 것은 평상平常의 마음으로 돌아가는 것이다. 어떤 자극을 받더라도 치우치지 않고 본연의 자신의 마음으로 돌아가는 자세가 필요하다는 것이다.

무슨 일을 할 때 판단의 원칙을 진심에 두어야 한다. 내 판단이 옳고 그름을 따지는 마음은 진심이 아니다. 판단 중지를 내릴 때 비로소 진정한 판단이 나온다. 독일의 현상 철학가인 에드문트 후설은 에포크Epoché, 즉, 현상에 대한 판단 중지를 이야기한다. 서양 사람들도 현상에 대한 판단에 있어 본질로 들어가기 위해서는 에포크 해야 한다고 한다. 여러 가지 판단을 중지하고 진심, 즉 본질로 환원하여 본질을 밝혀야 한다고 말하는 것이다.

'초발심시변성정각初發心是便成正覺'이란 말이 있다. 초발심 즉, 처음 깨달음을 얻고자 분발했던 마음을 계속하면 문득 정각, 바른 깨달음을 이루게 된다는 뜻이다. 『화엄일승법계도』, 일명 『법성게』의 한 구절이다.

처음 마음을 발할 때가 문득 정각正覺을 이루는 때이며, 우리에게는 진여(眞如, 진리)의 성(性, 본성)이 있기 때문에 찾으면 바로 나타나는 것이다. 대다수 사람들은 하늘을 뚫을 것 같은 초발심을 내지만, 세월이 흐를수록 퇴굴심(退屈心, 물러나고 왜곡되는 마음)이 일어나게 되고 게으른 병에 걸리기 쉽다.

누구나 처음 발심할 때의 그 마음만 변하지 않고 수행에 정진하면 어느 날 문득 깨달음을 얻을 수 있게 된다. 그러므로 독자 여러분도 모두 초발심을 유지할 수 있게 늘 마음을 가다듬기를 바란다.

집착하지
말라

『선가귀감』에 나와 있는 한 구절을 소개한다.

취경자取境者 여록지진공화야如鹿之趁空花也
취심자取心者 여원지착수월야如猿之捉水月也

"경계를 따르는 것은 마치 목마른 사슴이 아지랑이를 물인 줄 알고 쫓
아가는 것과 같고 마음을 붙잡으려는 것은 마치 원숭이가 물에 비친
달을 잡으려는 것과 같다."

여기서 아지랑이와 물에 비친 달은 실체가 아닌 헛것을 의미한

다. 취경取境이라는 것은 경계를 쫓는 것을 말하는 것인데 우리 육체는 안眼, 이耳, 비鼻, 설舌, 신身 다섯 가지 감각을 통해 사물을 파악하게 된다.

눈을 통해서 형상을 보게 되고, 귀를 통해 소리를 듣고, 코를 통해 냄새를 맡고, 혀로 맛을 보고, 몸을 통해 감촉을 느낀다. 우리가 마음을 낸다는 것, 생각한다는 것은 단순히 생각을 하는 게 아니라 다섯 가지 감각을 통해 무엇을 하고 싶다는 생각을 하게 되는 것이다. 아름다운 것을 보면 가지고 싶어 하고, 좋은 소리를 들으면 계속 들으려고 하게 되는 것이다. 좋은 그림을 보면 좋은 마음이 나고 나쁜 그림을 보면 나쁜 마음이 들게 된다.

즉, 우리는 색(色, 형상), 성(聲, 소리), 향(香, 냄새), 미(味, 맛), 촉(觸, 감촉)과 같은 경계를 통해 마음을 내고 생각을 하게 된다. 하지만 이러한 육체적인 것에서 나오는 경계에 집착하지 말아야 한다.

겉으로 나타나는 모습을 따라서 마음을 내게 되면 마치 아지랑이가 물인 줄 알고 따라가는 것처럼 허망하고 실체 없는 것에 빠지게 된다. 마음을 가지고 취하는 것도 마찬가지이다. 마음이 곧 진리라는 말이 있지만, 이 생각에도 집착을 하는 것은 좋지 않다. 마음이란 붙들려고 하면 없어지는 것이기 때문에 실체가 없는 것을 찾아 헤매게 된다.

돈이 많이 생겼다고 해서 그것에 집착하면 안 되고, 돈이 갑자기 없어졌다고 해서 그것에 연연해서도 안 된다. 지금 당장 즐겁다고 해서 당장의 즐거움에 집착하면 안 되고, 또한 슬픔에도 집착하지 말아야 한다.

이와 관련한 내 경험담이 하나 있다. 어머니가 돌아가셨을 때의 일이다. 당시 나는 큰 슬픔에 빠져 다른 생각은 전혀 할 수 없었다. 하지만 어머니를 산소에 모시고 돌아오는 길에 갑작스레 내 아들이 논두렁에 빠지고 말았다. 그 안에서 허우적거리고 있는 모습을 보자 이전의 슬픈 감정은 머릿속에서 사라지고 오직 아들을 구해야 한다는 일념으로 논두렁으로 뛰어들었다. 이처럼 마음이라는 것은 순식간에 변하기 마련이다.

우리가 그렇게 연연해 하는 이성 간의 사랑도 마찬가지이다. 처음 사랑을 할 때의 약속들을 모두 믿고 그 약속에 집착하면 나중에 실망으로 괴로워진다. 지혜롭게 살기 위해서는 그것이 아무리 소중하게 느껴진다고 해도 특정한 감정에 집착하면 안 된다. 감정은 언젠가 없어지기 마련이다. 영원한 것은 없다. 집착하지 않아서 고통을 하나라도 이겨내는 것이 지혜로운 삶이다.

좋은 일이 있으면 언제든지 사라질 수 있다고 생각하면서 맞이하는 것이 진정으로 좋은 일을 즐기는 방법이다. 그리고 친구를 만날 때도 헤어짐을 생각하고 만나면 오히려 그 사이가 더욱 오래간다. 지혜롭게 살기 위해서는 속을 수도 있다는 생각을 항상 하고 있어야 한다. 하나의 마음을 취하려고 하는 것, 그 마음만 좇아가는 것은 결국은 다 허망한 일이다. 불가에는 이런 말이 있다.

범부취경凡夫取境 도인취심道人取心

심경양망일진법心境兩亡一眞法

"보통 사람은 경계에 집착하고, 도인은 마음에 집착한다. 하지만 경계와 마음 모두를 잊어버리는 것이 제일이다."

즉, 경계를 따르거나 마음을 붙잡으려 노력하는 것이 모두 집착이니, 그 모든 집착을 비우는 삶을 살아가야 한다.

고통은 실체가
없는 것

우리의 삶은 한편의 꿈과 같은 것이다. 이와 관련해서 서산대사西
山大師의 「삼몽시三夢詩」라는 유명한 시가 있다.

주인몽설객主人夢說客 객몽설주인客夢說主人

금설이몽객今說二夢客 역시몽중인是夢中人亦

"주인의 꿈을 객에게 말하고 객의 꿈을 주인에게 말하니 이제 두 꿈을
말하는 저 나그네 아아, 그도 또한 꿈속의 사람이로다."

「삼몽시」에서 말하는 꿈은 실체가 없다는 것이다. 실체가 없는 것

에 대해 말하고 있으니 결국 아무것도 아닌 것에 대해 말하고 있다는 것이다. 또한 주인과 객을 보고 있는 나그네가 아무것도 아닌 두 사람의 꿈에 대해 말하고 있으나 결국 그도 꿈속의 사람으로, 도합 꿈만 세 가지라는 뜻에서 삼몽시인 것이다.

이 시를 쓴 서산대사는 임진왜란 때 약 1,500여 명의 승병을 이끌고 전쟁에 나갔다. 현실과 너무 동떨어져 있다는 비판을 받던 불교는 이를 계기로 조금씩 달라지기 시작했다. 사실 불교는 세속의 삶을 허무한 것으로 보고, 출가를 통해 깨달음을 얻을 것을 강조한다. 하지만 모든 사람이 출가한다면 어떻게 될까? 현실적으로 나라의 근본이 흔들리게 될 것이다.

이러한 비판을 바탕으로 대승불교가 퍼지기 시작했다. 개인의 출가로 끝나는 것이 아니라 출가하여 깨달음을 얻었다면, 속세로 돌아와서 그 깨달음을 전파해야 한다는 것이다. 이런 사람을 대승불교에서는 보살이라고 한다. 또한 한 걸음 더 나아가 출가하지 않고서도 나의 마음을 깨달을 수 있으며 이를 통해 세상을 평화롭게 만들 수 있다고도 한다.

불교에서 말하는 실재하지 않는 것에 대한 깨달음은 우리의 일상생활에서도 반드시 필요하다. 우리는 종종 다른 사람과 말다툼을 한다. 이는 말을 실체로 인정했기 때문이다. 하지만 말은 실제로 존재하는 것이 아니다. 그 말을 들은 나의 마음에 따라 계속해서 변하기 때문이다.

이 세상도 결국에는 이루어졌다가 없어지는 것이며 우리의 마음도 일어났다가 곧 변화되어 없어지는 것이다. 독자 여러분도 마음에 고苦가 찾아왔을 때 그 고를 실체로 보지 말고 언제든 변화할 수 있는 것으로 생각하길 바란다.

비워야 지혜가
생긴다

노자가 저술한 『도덕경』에는 '당무유용當無有用'이라는 말이 있다. 없음도 쓰임이 있다는 뜻을 가진 이 말은 비워야 채울 수 있다는 의미를 담고 있다. 비어 있지 않으면 물을 넣을 수 없다. 즉 비어 있어야 물을 채울 수 있다. 없다는 것이 아주 없는 것이 아니며 없는 것도 쓰임이 있다는 뜻이다. 우리의 마음도 마찬가지이다. 마음을 비워야 채울 수 있다. 이제까지 갖고 있던 것들을 비우지 않는다면 새로운 마음이 들어설 자리가 없을 것이다.

마음을 비우는 방법은 명상을 하는 것이다. 명상을 통해 우리는 망상과 번뇌를 없앨 수 있다. 명상한다는 것은 집중한다는 것과 다름이 없다. 그저 멍하니 하늘을 쳐다보고 있다고 해서 비우는 게 아니다. 호흡을 가다듬고 집중하는 것, 그래서 지금의 생각을 비우고 새로운 생각을 들일 자리를 만드는 것이 진정한 명상이라고 할 수 있다.

그렇다면 우리의 일상에서 실천할 수 있는 명상 방법은 무엇이 있을까? 유명한 베트남 출신 승려 틱낫한은 번뇌를 없애기 위해 걸음을 걸을 때도 숫자를 세며 집중한다고 한다. 걸음에 집중하다 보면 잡념이 사라지고 마음을 비울 수 있기 때문이다. 이런 다양한 노력을 통해서 잡념을 사라지게 해야 한다.

일상으로 돌아와 보자. 비가 오는 날이면 상념에 잠기기 쉬워지는데, 그럴 때면 오히려 몸을 더 움직여야 한다. 맛있는 음식을 해먹어도 좋고, 간단한 집안일을 해도 좋다. 다만 이때 중요한 것은 그 일 자체에 몰입하는 것이다. 이렇게 한 가지 일에 몰입하는 것이 곧 명상이다. 노동을 통해 집중력을 키우면 잡념을 없앨 수 있는 것이다. 그렇게 마음을 비워내면 지혜가 생긴다. 독자 여러분도 늘 채워 넣으려고만 하지 말고 비워냄을 통해 삶의 지혜를 얻기 바란다.

눈에 보이는 것의
허망함

　석가모니는 현재의 네팔 남부와 인도의 국경 부근인 히말라야 산기슭 인근의 카필라성을 중심으로 한 샤키야족의 작은 나라의 왕 슈도다나와 마야부인 사이에서 태어났다. 석가모니는 자라면서 인간의 생로병사를 알고 모든 괴로움의 본질이 무엇이며 어떻게 벗어나게 되는가에 관심을 가졌고, 29세에 마가다국의 왕사성으로 가 두 명의 선인仙人을 찾아 '무소유처정無所有處定·非想非非想處定(비상비비상처정)'이라는 선정을 배웠다. 그러나 석가모니는 그들의 방법으로는 생사의 괴로움을 해탈할 수 없다고 깨달았고, 그들에게서 떠나 부다가야 부근의 산림으로 들어갔다. 그곳에서 당시 출가자의 풍습이었던 고행苦行에 전념하였으나, 신체가 해골처럼 되어서도 해탈을 이룰 수는 없었다. 그는 6년간의 고행을 중단하고, 다시 보리수 아래에 자리 잡고 깊은 사색에 정진하여 마침내 깨달음을 얻게 되었다. 이렇게 석가모니는 생사를 벗어난 큰 지혜를 얻은 부처가 된 것이다.

생사와 관련한 부처님의 지혜에 대한 설화가 있다. 옛날에 인도의 한 여인이 아이가 생기지 않아서 오랫동안 마음고생을 하고 있었다. 그녀가 임신한 것은 결혼 후 3년이 지나서였다. 그 여인은 외동아들을 금이야 옥이야 길렀고 아이는 총명하게 쑥쑥 자라났다. 그러나 기쁨은 얼마 가지 못했고, 아이가 병에 걸려 갑작스레 하늘로 떠나게 되었다. 슬픔을 견디다 못한 그녀는 부처님을 찾아가서 제발 아이가 다시 살아나게 해달라며 부탁했고 그 모습이 보기 딱했던 부처님이 그녀에게 말했다.

"아이를 살아나게 해주마. 마을로 가서 겨자씨를 얻어오면 된다. 그런데 그 겨자씨는 꼭 죽은 사람이 하나도 없는 집에서 구해야 한다."

부처님의 말을 듣고 마을로 달려간 그녀는 집집마다 문을 두드리며 사정을 말했다. 그러나 그녀는 겨자씨를 하나도 구할 수 없었다. 마을의 그렇게 많은 집들 중에서 죽은 사람이 없는 집은 하나도 없었기 때문이다. 그녀는 겨자씨를 구하지 못했지만 대신 깨달음을 얻었다. 자기의 아이만 죽는 것이 아님을 알게 된 것이다. 부처님이 그녀에게 주고자 했던 가르침이 바로 그것이다. 그녀는 자기만 사랑하는 사람의 죽음을 겪는 게 아님을 알게 되었다. 너무 당연한 사실을 자연스러운 것으로 받아들였을 때 그녀는 고통의 덫에서 빠져나올 수 있었다.

이렇듯 생로병사와 희로애락은 누구의 삶에나 있다. 불교에서는 이것을 똑바로 볼 수 있어야 해탈을 할 수 있다고 말한다. 여기서 해탈이란 고승들처럼 높은 경지를 말하는 게 아니라 고통을 만났을 때 덜 힘들고 덜 아프게 되는 마음을 말한다.

부처님의 깨달음에 대한 내용을 적은 경전에는 『화엄경華嚴經』, 『아함경阿含經』, 『방등경方等經』, 『반야경般若經』, 『법화경法華經』, 『열반경涅槃經』이 있는데, 그중 부처님이 22년간 말씀하신 내용이 『금강반야바라밀다심경金剛般若波羅蜜經』이다. 『금강경』이라고도 한다.

여기서 '반야般若'는 불교의 근본 교리 중의 하나로 지혜를 뜻한다. 『금강경』의 한 내용을 소개한다.

응무소주 이생기심應無所住而生其心
응무소주 행어보시應無所住行於布施

"마땅히 집착하지 않음에 마음을 내야 한다. 받을 생각 없이 베풀어라."

지혜는 마땅히 집착하지 않는 데서 그 마음을 내는 것이다. 하지만 우리는 집착을 통해 좋아서 마음을 내고, 나빠서, 싫어서, 미워서 마음을 내게 된다. 즉 마땅히 무엇이든지 머무름과 집착함이 없이 그 마음을 활용하라는 의미이다. 내가 집착하지 않고서 마음을 내는 세계가 바로 지혜의 세계고, 부처님의 세계인 것이다. 그리고 내 이름을 내고 베푸는 까닭은 언제든 그것에 대한 보답을 받기 위해서이다. 익명의 기부자가 몇 년째 기부하는 것처럼 굳이 나를 알리지 않고 어려운 이웃을 돕는 마음이야말로 아무런 대가를 바라지 않는 순수한 나눔과 베풂이다. 『금강경』에는 이런 구절도 있다.

범소유상 개시허망 凡所有相皆是虛妄

약견제상비상 즉견여래 若見諸相非相卽見如來

약이색견아 이음성구아 若以色見我以音聲求我

시인행사도 是人行邪道

"모든 형상 있는 것은 모두가 허망하니 모든 형상을 본래 형상이 아닌 것을 알면 곧 진실한 모습을 보게 된다. 만약에 색상으로 나를 보거나 소리나 음성으로 나를 구하면 이 사람은 사악한 도를 행하는 것이다."

형상 있는 모든 것은 다 영원불멸하거나 실질적인 존재가 아니며 결국은 안개처럼 허망하게 사라져버리고 만다. 따라서 세상 만물은 영원한 존재가 아니고 일시적인 것일 뿐, 참존재가 아닌 것을 깨달아 모든 집착을 끊어버리면 누구나 부처의 지혜와 광명을 얻게 된다는 것이다.

불교는 어려운 것이 아니다. 마음은 집착함이 없이 마음을 내고 행동은 받을 생각 없이 베푸는 것을 실천하면 그것이 바로 깨달음을 얻는 것이다. 부처님의 지혜로운 삶의 가르침을 생각해보고 독자 여러분도 이를 실천하여 스스로 깨우침을 얻을 수 있길 바란다.

마음의 평정을
자각하라

다음은 『채근담』의 한 구절이다.

고요한 곳에서 고요함은 참다운 고요함이 아니다.

소란한 가운데 고요함을 지켜야

마음의 참다운 경지에 이를 수 있다.

즐거움 속에서 즐거운 것은 참다운 즐거움이 아니다.

괴로움 가운데 즐거운 마음을 가져야

마음의 참된 모습을 볼 수 있다.

시끄럽고 복잡한 상황에서 마음의 평정_{平靜}을 유지하는 것은 어려운 일이지만, 또 그만큼 중요한 일이기도 하다. 직장에서도 마음이 고요해야만 사소한 일에 흥분하지 않고, 화를 내지 않을 수 있다.

우리는 종종 세상의 일과 나의 마음을 하나로 보지 못하고, 서로 다른 별개의 것으로 생각한다. 하지만 세상의 일과 나의 마음은 곧 하나이다. 또한 이 세상에 영원한 것은 없다. 마음이 고요하면 변화하는 것들을 있는 그대로 수용할 수 있다. 하지만 마음이 고요하지 않은 상태에서는 영원에 집착하게 되고, 결국 투쟁하게 된다.

마음을 집중하면 고요한 평화가 찾아온다. 고통의 순간에도 마음을 집중하면 고통 역시 곧 낙樂으로 바뀐다. 자신이 지금 어떤 생각을 하고 있는지, 어떤 행동을 하고 있는지, 어긋난 것은 없는지 항상 인식하고 경계하는 것이 곧 마음을 집중하는 것이다. 매 순간의 자각을 통해 마음을 집중하여, 마음의 평정을 유지하는 삶을 살아가길 바란다.

변하는 것과
변하지 않는 것

『선가귀감』에는 이런 글이 있다.

법자일물야法者一物也 인자중생야人者衆生也라.

법유불변수연지의法有不變隨緣之義하고

인유돈오점수지기人有頓悟漸修之機니

고故로 불방문자어언지시설야不妨文字語言之施設也라.

차此가 소위관불용침所謂官不容針이나

사통거마자야私通車馬者也라.

"법이란 한 물건이요, 사람이란 중생이다. 법에는 변하지 않는 불변의 것不變과 인연을 따라 변화하는 이치인 수연隨緣이 있다. 사람에게는 단박에 깨우치는 돈오頓悟와 오래 닦아야 하는 점수漸修가 있다. 그러므로 진리를 가르치는 언어, 문자, 방편이 있다. 공적인 일은 바늘구멍도 허락하지 않고, 사적인 일은 수레가 다닐 정도로 널리 마음을 써야 한다."

마음은 뭐라고 규정할 수 있는 것이 아니다. 마음은 변하지 않으면서도 인연을 따라서 변하는 것이다. 먼저, '희노애락애오욕喜怒哀樂愛惡慾'과 같이 변화하는 것이 바로 마음이다. 우리가 고민하는 이유는 우리의 고뇌와 슬픔이 영원하리라고 생각하기 때문이다. 하지만 고뇌와 슬픔은 영원한 것이 아니다. 슬픔도 결국에는 사라지는 것이며, 기쁨 역시 영원한 것이 아니다. 이를 깨닫고 집착에서 벗어나는 일이 중요하다.

하지만 그러는 가운데에서도 우리는 마음의 불변不變을 지향해야 한다. 우울한 마음이 생기더라도 그전의 마음으로 돌아갈 수 있는 힘을 길러야 한다. 이는 마음에 불변성不變性이 있기 때문에 가능한 일이다. 마음 자체는 변하지 않는 것이므로, 공적인 일에 대해서는 바늘구멍만큼도 용서할 수 없지만, 인연 따라 변하는 것이 또 마음이기에 사적인 일에 대해서는 수레가 다닐 정도로 넓게 소통의 문을 열어두어야 하는 것이다. 결국 모든 것에는 양면성이 있기에 우리는 사람을 비롯해서 매사를 겉모습으로만 판단해서는 안 된다.

우리가 본 겉모습이 영원하리라 착각해서는 안 되는 것이다. 독자 여러분은 변화하는 것에 실망하거나 화내지 말고, 불변과 수연을 떠올리며 깊은 통찰을 해보길 바란다.

●

마음이 곧
깨달음이다

부처가 출가 후 깨달은 진리를 다섯 비구比丘에게 설법한 것을 『화엄경』이라 한다. 그 『화엄경』에서도 개인적으로 가장 중요하다고 생각하는 구절을 소개하려고 한다.

심여공화사心如工畵師 화종종오음畵種種伍陰

일체세간중一切世間中 무법이불조無法而不造

여심불역연如心佛亦然 여불중생연如佛衆生然

심불급중생心佛及衆生 시삼무차별是三無差別

"마음은 화가와 같아서 여러 가지 색수상행식色受想行識을 그린다. 일체

216

세간의 것들을 만들어내지 못하는 법이 없다. 마음과 같이 부처도 그와 같으며 부처와 같이 중생도 그러하다. 마음과 부처와 중생, 이 셋은 차별이 없다."

우리는 마음이 그리는 대로 행하게 되어 있다. 즉, 마음으로부터 모든 것을 만들어낸다. 형상으로부터 그리는 마음色, 외부로부터 느끼는 마음의 작용受과 더불어, 사물을 마음속에 받아들이고 상상하고想, 행동하고行, 의식을 분별하는 것識, 일체세간一切世間의 모든 것들은 마음의 작용에 의해 생겨난다.

부처도 마음의 원리와 같다. 세상 모든 것을 만들어내는 것 또한 부처이기 때문이다. 중생도 역시 그렇다. 중생의 마음이 조용해진다면, 즉 열반적정涅槃寂靜의 고요하고 고요한 세계에 들어간다면, 바로 부처가 되는 것이다. 이렇듯 마음도 부처도 중생도 따로 떨어져 있는 것이 아니다.

마음이 어지럽고 혼란스러울 때는 조용히 눈을 감고 호흡을 세는 수식관을 행하기 바란다. 처음엔 잡념을 없애기 어렵지만, 훈련을 거듭하다 보면 마음이 고요해지고 평화로워질 것이다. 즉 모든 것들이 내 마음으로부터 일어난다는 점을 깨닫고 이를 다스린다면, 우리도 언제든 부처가 되고, 부처의 마음을 취할 수 있다.

분별하지 않아야
편안해진다

불교 선종禪宗 삼조三祖인 승찬대사僧璨大師의 『신심명信心銘』 한 구절을 소개하려 한다. 역사적으로 불교는 인도에서 동양으로 전파된 대승불교가 중국과 우리나라에도 전해졌다고 한다. 불교 선종의 역사는 첫 번째로, 초조初祖인 달마대사達磨大師에 이어 이조二祖 혜가대사慧可大師, 삼조三祖 승찬대사, 사조四祖 도신대사道信大師, 오조五祖 홍인대사弘仁大師, 육조六祖 혜능대사慧能大師로 이어진다.

먼저 승찬대사의 이야기를 해보자. 승찬대사가 남긴 신심명이란 믿음을 마음에 새기는 글이다.

어떤 사람이 오랜 세월 동안 문둥병으로 이름도 성도 없이 숨어 살았다. 혜가라는 큰 스님이 있다는 것을 안 그는 어둑어둑한 밤, 천으로 얼굴을 가리고 혜가대사를 찾아갔다.

"제가 전생의 죄가 커 온몸에 질병이 감싸고 있으니, 부디 대사께서 저의 죄를 참회해주시기 바랍니다."

이에 혜가대사가 대답했다.

"네가 만약 죄가 있다면 그 죄를 가져와라. 그럼 참회해주겠노라."

혜가대사의 말을 한참 동안 생각하던 그는 다시 말했다.

"제가 아무리 죄를 찾아보았으나, 찾을 길이 없습니다."

"그럼 너는 죄가 없느니라."

오랜 시간 고통받으며 처절하게 자문하고 고민했던 그는 고통스러운 마음이 일시에 사라지는 놀라운 경험을 했다. 그리고 이렇게 말했다.

"오늘 스님을 만나 승僧이 무엇인지 알겠으나 불佛과 법法에 대해서는 아직 잘 모르겠습니다."

혜가대사가 말했다.

"이 마음이 곧 부처요, 이 마음이 바로 법이다. 불과 법은 둘이 아니요, 승보 또한 그러하니라."

그는 이 말에 깨달음을 얻고 이렇게 말했다.

"제가 오늘에야 비로소 죄가 안에 있는 것도 아니요, 밖에 있는 것도 아니며 중간에 있는 것도 아니라, 바로 사람의 본심과 마찬가지라는 것을 알게 되었나이다."

혜가대사는 그에게 승려로서 제일 훌륭하다는 뜻의 승찬僧璨이라는 이름을 지어주었다. 이 승찬대사가 남긴 가르침이 바로『신심명』이다.

지도무난至道無難 유혐간택唯嫌揀擇
단막증애但莫憎愛 통연명백洞然明白

"지극한 도는 어렵지 않음이요 다만 간택함을 꺼릴 뿐이다. 미워하고 사랑하지만 않으면 통연洞然히 명백하리라."

즉, 지극한 도는 한마디로 인간이 누릴 수 있는 최상의 삶이란 뜻이다. 인간의 행복, 자유, 완전한 평화 이런 바람직한 인생을 사는 것은 어렵지 않으나 '가리는 일'이 문제가 된다고 한다.

우리는 만사에 '이것은 좋고 저것은 싫다'는 분별심을 일으킨다. 내 마음에 들면 좋다고 하고 거슬리면 싫다고 한다. 원하는 것을 갖게 되면 좋아하고 갖지 못하면 화를 낸다.

최상의 깨달음을 얻고자 한다면 간택하여 미워하고 좋아하는 마음 즉, 분별심을 모두 버려야 한다. 오로지 분별하는 그 마음을 녹이면 해탈의 도에 이르니 지극한 도는 어렵지 않다고 한 것이다.

우리는 사랑한다고 행복하지 않고 미워한다고 편안해지지 않는다. 오직 생각을 내려놓고 쉬면서 무아의 세계에서 스스로 만물에 순간순간 변화해가며 대응해가야 편안해진다. 미워하고 사랑하는 마음을 넘는 것, 그것이 도이다. 일체의 두두물물頭頭物物에 대해 그대로 담담하게 바라보고 느낄 수 있는 상태, 아무런 선입견이나 편견이 없이 사물을 대할 수 있는 상태, 그리하여 항상 깨어 있는 마음으로 삶을 일구어 나갈 수 있다면 그것이야말로 멋진 삶이요 도에 부합한 삶이다. 독자 여러분이 불편하지 않고 편안한 마음을 유지하는 삶을 살기를 바란다.

언어로 표현할 수 없는 것

노자의 철학은 매우 심오하여 그 말씀을 해석할 때는 사람마다 차이가 있다. 다만, 근래에 내가 느끼는 노자의 말씀에 대한 생각을 독자 여러분에게 전하고자 한다. 다음은 노자의 『도덕경』에 있는 언어로 표현할 수 없는 것에 대한 이야기다.

도가도 비상도 명가명 비상명 道可道 非常道 名可名 非常名

무명 천지지시 유명 만물지모 無名 天地之始 有名 萬物之母

고상무 욕이관기묘 상유욕이 관기요 故常無 欲以觀其妙 常有欲以 觀其徼

차양지 동출이이명 동위지현 此兩者 同出而異名 同謂之玄

현지우현 중요지문 玄之又玄, 衆妙之門

"도를 말로 표현할 수 있다면 그것은 불변의 도가 아니다. 그 이름을 부를 수 있다면 그것은 영원한 이름이 아니다. 이름이 없는 것은 천지 창조의 시작을 가리키고 이름이 있는 것을 만물의 모태라고 부른다. 그러므로 언제나 욕심이 없으면 그 오묘함을 보고, 언제나 욕심이 있으면 그 가장자리만 본다. 그런데 이 둘은 같은 것이다, 사람의 앞으로 나와 이름만 달리했을 뿐이다. 그것을 함께 일컬어 현玄이라고 한다. 현하고 더욱 현한 것이, 온갖 오묘함이 들고 나는 문이다."

우리가 만일 진실이라고 믿는 것이 있다면 그것은 표현될 수 없다. 어떤 것을 개념화시키거나 정의 내리는 순간, 본래의 의미는 이미 변질되고 퇴색되기 때문이다.

말과 글, 영상과 음악, 표정과 기호로 어떤 이미지를 전달할 수는 있지만 그것은 전체에서 떨어져 나온 하나의 조각에 불과하며, 조각은 전체를 설명해주지 못한다.

본질은 무한의 세계에 속하고 사람은 유한한 것을 생각한다. 우리는 때때로 본질의 세계에 닿을 수 있으나 그것을 소유하거나 전달하기란 불가능에 가깝다. 예를 들어, 사랑을 표현해보고자 한다면 온갖 비유를 들어 사랑을 표현하지만 노자의 철학은 이렇게 말한다.

"사랑을 사랑이라고 할 수 있다면, 그것은 사랑이 아니다."

어떻게 사랑하는 마음을 언어라는 작은 그릇에 담을 수 있을까? 인간의 언어로 과연 그 무량무한의 넓고 깊은 사랑을 표현할 수 있을까? 언어는 의사소통의 약속일뿐이다. 억지로 세상에 드러내고자 꾸미려고 하지 말고 있는 그대로의 진리를, 사랑을 느끼고 음미하라는 노자의 말씀을 통해 내면의 세계를 더욱 중요하게 여기고 항상 자기 마음에 집중하며 살아가는 삶을 살기를 바란다.

광명의 마음을
되찾자

진리眞理를 의미하는 단어 아레테arete에 대해서 들어보셨는가? 아레테는 플라톤의 『국가』에서 나오는 개념으로 흔히 덕virtue으로 번역한다. 모든 사물에는 그 나름의 훌륭한 상태, 즉 좋은 상태가 있게 마련인데, 이는 대개 그 사물이 가진 나름의 기능 또는 구실과 관련되어 있다.

칼의 아레테는 잘 자르는 것이고, 눈의 아레테는 잘 보는 것이며, 제화공의 아레테는 구두를 잘 만드는 것이라 할 수 있다. 이처럼 사물이든 사람이든 그 나름의 특성을 뛰어나게 잘 발현하는 상태를 아레테라 한다.

이 아레테의 어원은 레테rête라는 그리스어에서 나온다. 레테는 숨겨져 덮인 것을 말하며 그리스어로 망각을 의미한다. 레테라는 글자에 아a-가 붙으면 부정否定의 의미를 더하여 아레테는 개방된 것, 열려진 것을 말하며 그것이 곧 진리라는 것이다.

그리스 로마 신화에 따르면 사람이 태어날 때는 레테라는 강을 건넌다. 사람이 태어나기 전에는 무한한 능력과 모든 선한 것들을 동등하게 가지고 있지만, 이 강을 건너면서 그것이 덮인다고 한다.

즉, 원래 사람은 다 선하고 착하며 아름답고 무한한 능력을 지녔으나 강이라는 장애(번뇌와 절망 등)를 우리 스스로 만들어 본래의 큰 힘을 약화시킨다는 것이다.

그 장애를 없애는 것, 그것이 바로 진리이다. 진리는 밝고 맑으며 무한한 광명의 세계이다. 그러기에 우리는 마음을 언제든지 광명光明스럽게 생각하고, 살면서 고통과 시련이 생긴다고 하더라도 광명스럽게 마음을 여는 것이 중요하다.

독자 여러분도 번뇌와 절망, 괴로움 속에 있다는 생각이 들더라도 그 고통 가운데서 비치는 한 가닥 광명의 빛줄기를 놓치지 않기를, 지혜를 가지고 삶을 밝게 비추는 마음을 잃지 않기를 바란다.

내면적 자아를
들여다보기

사람은 대부분 자기를 잘 안다고 착각하지만, 실제로는 자기 자신에 대해 잘 모를 뿐더러 영원히 알 수가 없다. 인간의 감정과 마음이라는 것은 영속하거나 동일하지 않기 때문에 언제든지 바뀔 수 있고 그렇기에 그 무엇인가가 바로 나 자신이라고 단정 지을 수 없다.

성자聖者들은 "행복과 불행에 대한 모든 것을 자기 안에서 찾으라"고 말한다. 그것은 내면적 자아와 더 깊은 교류를 하라는 뜻인데, 사람들은 내면적 자아를 보라고 하면 굉장히 어려워한다. 하지만 그것은 어려워할 일이 아니다. 예를 들어 냄새가 나면 그 냄새가 내 코로 들어와서 썩은 냄새인가 향기인가, 이 냄새가 무엇인가 생각하는 것이 바로 내면적 자아를 만나는 것이다. 그런데 우리는 그냥 기쁘면 기쁘다, 슬프면 슬프다 하고 내가 왜 이런 기분을 가지게 되었는지 되돌아보지 않는다.

신문 기사에 8년간 암과 싸운 사람의 내용이 나온 적이 있다. 암을 앓다가 모든 것을 포기하고 산속에 들어가서 맑은 공기를 마시며 스트레스를 받지 않고 지내니 암을 이겼다는 내용이었다. 암을 키우는 것은 바로 스트레스인데, 이 스트레스를 이기려면 많이 웃고 긍정적으로 생각하며 자신의 내면적 자아를 들여다봐야 한다.

자신이 어려운 환경에 처하면 그 환경에 대해서 부모한테 책임을 전가할 수도 있고, 사회에 책임을 전가할 수도 있고, 나 아닌 모든 것에 책임을 전가하게 된다. 하지만 그렇게 한다고 해서 어려움이 해결되는 건 아니다. 대부분 성공한 사람들은 어려운 환경까지도 자신의 것으로 생각하고 고난을 극복하려고 한다. 남이 나를 이렇게 만들었다고 생각하는 사람은 성공하기가 어렵다.

내 속에는 무한한 능력과 광명과 자유가 있다. 나 자신을 잘 살펴보는 훈련을 하면, 나라는 존재가 위대한 존재임을 알 수 있다. 그 누구도 대신할 수 없는 나라는 존재는 각자 다르지만 모두에게 존재하며 그 각자의 나라는 정체성을 인정해주는 것이 바로 겸손과 양보이다. 그래서 나의 운명은 내가 만드는 것이지 다른 사람이 만들어주는 것이 아니다. 그래서 언제나 내면적 자아를 잘 살펴보는 훈련을 하는 것이 중요하다.

언제 진리를
만날 수 있는가?

불교의 세 가지 보배인 부처佛, 교법法, 승려僧를 따라 우리나라의 사찰도 세 가지 보배를 가지고 있다. 불보사찰(통도사), 법보사찰(해인사), 승보사찰(송광사)이 그것이다. 이 사찰 중 송광사에 제일 참선을 잘한다고 소문났던 혜국 스님이 계실 때의 일화를 소개하겠다. 혜국 스님이 송광사에 계실 때 외국인 승려 20명이 와서 참선을 공부했다. 하루는 어느 외국인 스님이 와서 혜국 스님께 물었다.

"스님, 스님은 부처님을 보셨습니까?"

이에 혜국 스님이 이렇게 대답했다.

"나는 매일 부처님을 보고 있지."

"오늘도 보셨습니까?"

"그래, 보았노라."

"내일도 보실 겁니까?"

"그럼 내일도 보지."

"스님, 내일도 부처님을 보시면 우리에게도 좀 오시라고 말씀 좀 전해주십시오. 왜 우리에게는 안 오시고 스님에게만 오십니까?"

"내일이 되면 내가 부처님께 말씀드리지."

며칠 후 외국인 스님이 다시 혜국 스님을 찾아왔다.

"스님, 부처님께 말씀하셨습니까?"

"부처님께 말씀드리니 자네들에게 가려고 통화를 시도했는데 그대들이 너무 바빠서 24시간 내내 통화 중이라 못 갔다고 하셨다."

"네. 그러셨군요."

이 일화에서 외국인 스님은 본인에게는 나타나지 않는 부처님을 만나고 싶어 혜국 스님에게 간청을 드린다. 하지만 부처님과의 만남은 성사되지 않았다. 부처님은 고요할 때 만날 수 있는 분이다. 우리 각자의 마음이 고요해지면 부처님이 나타나시는 것이다. 그럴 때 통화가 가능한 것이라, 번뇌와 망상이 꽉 차 있으면 부처님과 만날 수도 없고, 연락도 되지 않는다.

이를 '성성적적惺惺寂寂'이라고 한다. 또렷또렷하게 깨어 있는 상태를 성성惺惺이라 하며 고요하고 고요해 어떤 번뇌도 일지 않는 평화로운 상태를 적적寂寂이라 한다. 즉 성성적적이란 깨어 있고 고요한 그 자리를 깨달으면 그 사람이 바로 부처이며 누구나 그런 부처를 모시고 있다는 뜻이다.

독자 여러분도 항상 자기 자신에 집중하는 시간을 가지길 바란다. 순간순간 일어나는 일들에 오롯하게 깨어 있으면 고요한 가운데 당황하거나 노심초사하지 않을 것이다. 그러면 현재를 평화롭고 행복하게 살아갈 수 있을 것이다.

오직 마음에
답이 있다

『화엄경』에는 다음과 같은 말이 있다.

약인요지若人欲了知 삼세일체불三世一切佛

응관법계성應觀法界性 일체유심조一切唯心造

이 말은 "만약에 사람이 삼세(과거, 현재, 미래)의 모든 부처의 지혜
를 알고자 한다면 이 모든 법계의 성품을 보라. 모든 것이 오직 마
음이 만드는 것이다"라는 뜻이다. 지혜라는 것은 자신의 마음에 집
중하는 것에서부터 얻을 수 있다. 내가 말하면서도 나는 말하고 있
다고 생각을 해야 그것이 집중이고 말이 바르게 나오는 것이다.

육체가 아플 때 육체가 있다는 것을 알게 되듯이 우리는 즐거울 때는 모르다가 마음이 괴로우면 그제야 자신의 마음을 성찰하고 들여다보고는 한다. 눈으로 보는 것도 내가 눈으로 보고 있다고 자각할 때 눈이 있음에 감사하고, 귀가 안 들리면 그제야 귀로 들을 수 있음에 감사하다는 생각을 하게 되듯 우리는 항상 보고 있다, 걷고 있다, 말하고 있다고 하는 것을 인식하는 것이 중요하다. 일하면서도 내가 일을 한다는 것을 자각하면 일이 아주 즐거운 것이고 이 일을 왜 하는지 생각하지 않고 일하면 스트레스를 받는 것이다.

사람은 누구나 착한 마음을 심고 선행을 하며 그 마음을 잘 닦고, 넓고 큰 뜻을 세우면 반드시 깨달음을 성취한다고 했다. 즉, 우리의 올바른 마음을 잘 닦고 쓰면 바라는 것을 성취한다는 것이다. 마음 따라 생각이 일어나고 생각에 따라 행동이 일어나며, 그 행동에 따라 결과가 나오고, 그로 인해 인생을 사니, 한 인생의 앞날은 오롯이 마음에서 나온다고 할 수 있다.

그러니 독자 여러분도 외부에서 자신의 인생을 찾을 것이 아니라 자신의 마음을 들여다보고 항상 말과 행동에 자각하는 습관을 지니길 바란다. 그렇다면 자신의 꿈을 이루고 행복한 인생을 누릴 수 있게 될 것이다.

내 안에
소우주가 있다

『채근담』에 다음과 같은 글이 있다.

흰 눈 위에 밝은 달이 비치면

마음이 문득 맑아진다.

봄바람 화기(和氣, 따스한 기운)를 만나면

뜻이 또한 부드러워진다.

조화造化와 인심人心이 한데 어울려

틈이 없음인 것이다.

이 글을 해석하면, 흰 눈이 펼쳐진 곳에 달빛이 비치는 것을 보면 우리 마음도 굉장히 맑아지고 봄날에 화창한 기운이 마음을 한없이 부드럽게 해준다는 뜻이다. 이것은 자연의 조화와 인간의 본뜻이 구별 없이 하나가 되었기 때문이다. 우리는 이런 자연과 조화를 느낄 줄 알아야 한다. 나는 예전에 홀로 산에 많이 올랐는데, 오르고 나면 아주 마음이 편안해지고 청량해졌다. 자연의 변화무쌍한 것과 인간의 마음은 하나인 것이다. 우리도 날씨가 화창하면 기분이 좋다가도 비가 오면 괜스레 우울해지기도 한다.

어느 날에는 햇빛이 쨍하고 또 어떤 날에는 바람이 불기도 하고 비와 눈이 내리기도 한다. 인간 마음도 희노애락애오욕喜怒哀樂愛惡欲이라는 칠정七情이 있다. 이러한 인간의 칠정과 자연의 풍운조화風雲造化는 함께하는 것이다. 자연은 이치理致와 기氣로 되어 있는데, 기는 기운을 뜻하며 그것은 인간도 다 느낄 수 있기 때문이다.

예를 들면, 텔레파시 같은 것도 하나의 기운이다. 친구와 오랫동안 못 만나서 보고 싶은 마음에 전화를 걸면 그 친구도 "나도 네가 생각나서 전화하려고 했는데"라고 말하는 경우가 있다. 또한 길을 가다가 섬뜩해서 뒤를 돌아보면 누가 뒤따라왔을 때가 있다. 그것은 기운에 예민하기 때문에 느낄 수 있는 것인데, 마음이 맑아지면 기운을 느끼는 데도 굉장히 섬세해진다.

율곡 선생이 '천지조화天地造化 오심지발吾心之發'이라는 말씀을 하신 적이 있다. 그 뜻은 "하늘과 땅이 만들어지고 변화하는 것은 나의 마음에서 일어난 것이다"이다. 율곡 선생은 또한, 마음은 외부의 자극에 의해 움직이는 것으로 인간의 마음은 곧 기心是氣라고 하셨다. 마음에 기운이 있기 위해서는 이치가 있어야 하는 것이고 그렇게 된 까닭이 있어야 한다. 마음은 기운이 있어서 기쁨과 슬픔, 외로움을 느낀다. 느끼는 것은 기이고, 느끼게 하는 원인은 이치이다.

우리 마음이 슬프고 괴로우면 안 좋은 기운이 나오는 것처럼 자연도 다 기이다. 그 기가 되기 위해서는 이치가 있는 것이고 이 우주가 만들어지는 것도 이치가 있는 것이다. 우주가 기로 되어 있듯 인간의 마음도 기로 되어 있어서 우주와 인간의 마음은 기氣와 이理로 이루어져 있는 것이다.

마음이 서글퍼지고 외로울 때 자연에 들어가 보자. 내 생각과 마음은 계속 움직이지만 자연은 말이 없다. 그러면 자연스럽게 생각이 정리되고 자연과 하나가 되며 마음이 치유되는 것이다. 마음이 순수해지면 병이 없다. 모든 병의 가장 큰 원인은 스트레스이기 때문이다.

인간은 소우주이다. 그러므로 인간의 몸은 우주의 모든 작용을 갖추고 있으며, 자연의 조화와 인간의 작용은 구별이 없다. 앞으로 여러분도 '내가 소우주다'라는 생각을 하고 자신감을 가지길 바란다. 소우주, 그 속에는 우주의 사계절이 다 있다. 우리는 모두 우주를 품고 있는 가치 있는 사람이라는 사실을 잊지 않기를 바란다.

두 가지 마음에 대한
이해

마음에는 크게 두 가지 종류가 있다. 하나는 밝고 근원적인 마음이고, 또 하나는 어둡고 소유하는 마음이다.

흙과 물이 함께 담겨 있는 페트병을 떠올려보라. 흙은 바닥에 가라앉아 있고 그 위로는 맑은 물이 자리를 잡고 있다. 그러나 페트병을 마구 흔들면 흙탕물이 되어 더러운 물이 되어버린다. 흔들기 전의 물이 근원적 마음이라면 흔들고 난 후의 흙탕물은 어둡고 소유하는 마음이다. 우리가 평상시에 주로 느끼는 마음은 흙탕물과 같은 마음이다. 화가 난다거나 아름답다고 느끼거나, 마음속에 희로애락이 일어나는 것은 모두 소유하는 마음과 관련이 있다. 그런 것들이 조용해지는 것이 바로 근원적 마음이다.

이런 두 가지 마음을 가진 우리는 어떻게 해야 세상의 어렵고 복잡한 문제들을 이겨낼 수 있을까? 바로 흙탕물 속에 살면서도 근원적 마음을 인지하면 된다. 남을 미워하는 감정을 느낄 때, '아, 내가 미워하는 것은 소유와 집착으로 인해 그렇구나'라고 생각하면 마음이 깨끗해진다. 우리가 어떤 어려운 판단을 해야 할 상황에 놓였다면 밝은 마음을 우선 갖추는 것이 필요하다. 그럴 때 사리분별이 가능해지고 올바른 판단을 할 수 있기 때문이다.

판단하기 어려울 때는 마음이 조용해질 수 있도록 해야 한다. 각자 처한 상황과 환경이 다르기에 일률적인 해결책을 제시하는 것은 어렵다. 하지만 한 가지 확실하게 말할 수 있는 것은 호흡을 가다듬고 스스로 조용해질 때, 모든 것이 현명하게 해결될 수 있다는 것이다. 아무것도 소유하지 않는 마음으로 돌아가서 관찰하면 어둡고 더러운 마음은 없어진다. 독자 여러분은 어떤 일을 즉흥적으로 해결하려다 그르치지 말고, 한 번만 더 생각하고 마음을 조용히 다스려 지혜롭게 해결해 나가기를 바란다.

마음은
늙지 않는다

서산대사가 벗을 찾아 풍성(風成, 지금의 남원)을 지나가다가, 우연히 낮닭 우는 소리를 듣고 크게 깨우친 바를 게송(偈頌)으로 지은 「오도송(悟道頌)」이란 작품을 소개한다.

발백비심백(髮白非心白) 고인증누설(古人曾漏洩)

금문일성계(今聞一聲鷄) 장부능사필(丈夫能事畢)

홀득자가처(忽得自家處) 두두지차이(頭頭只此爾)

만천금보장(萬千金寶藏) 원시일공지(元是一空紙)

"머리 세어도 마음 안 센다고 옛사람 일찍이 일렀더구나. 닭 울음 한 소리 이제 듣고 나니 장부의 할 일을 다 마쳤도다. 문득 자기 것을 깨닫고 나니 온갖 것이 다만 이뿐이로세. 팔만대장경도 본시는 한 장 빈 종이로세."

이 시는 육체는 늙더라도 마음만은 늙지 않는다는 것을 잘 표현했다. 나이가 들어 머리카락은 희끗희끗하게 센다 할지라도 마음을 검은색, 흰색과 같은 색깔로 규정지을 수 없듯이, 우리가 마음가짐을 어떻게 갖느냐에 따라서 청춘일 수도 있고, 아닐 수도 있는 것이다.

이어지는 구절은 스스로 깨닫는 것의 중요성을 잘 담아냈다. 우리가 제아무리 많은 책을 소유하고 지식을 탐한다 한들 자기 것으로 만들지 못하면 아무 소용이 없다. 팔만대장경에도 많은 것이 적혀 있지만 종이 한 장일 뿐이듯, 세상에 널린 수많은 지식에 비하면, 그 양이 적더라도 본인 스스로 깨달은 지식이 더욱 가치가 있다.

남의 지식을 마치 내 것처럼 흉내 내고 가지려 하는 것은 우리 삶에 그 어떤 영향도 주지 못한다. 스스로 탐구하고 경험하며 얻은 지식이야말로 우리의 삶을 더욱 윤택하게 만들어줄 것이다.

마음은 늙지 않으며 직접 체득한 것이 중요하다는 말을 참 많이 듣는다. 하지만 이를 진정으로 깨닫는 것은 결코 쉽지 않다. 닭 우는 소리를 듣고 이러한 깨달음을 얻은 서산대사의 삶이 참으로 유유자적悠悠自適하고 고고하게 느껴진다.

간절한 마음으로 가고
또 가면 열릴 것이다

일전에 참석했던 세계명상대전에는 태국의 은둔 수행승 아잔간하 스님, 동양의 도를 서양으로 옮겨간 호주의 아잔 브람 스님, 한국의 대표 선승인 혜국 스님 등이 참석했다. 고승들은 불자들에게 자신들의 수행 방법과 깨달음에 관한 많은 이야기를 전해주었다. 나는 그중 선불교에 대해 말씀을 나누는 혜국 스님과 태국의 아잔간하 스님의 말씀이 인상 깊었다.

선불교는 치열한 자기 응시에서 비롯한 마음의 깨달음을 궁극으로 삼는다. 불교에서는 경전 공부를 하면서 서서히 깨달음을 알아가기보다는 참선參禪을 하여 단번에 깨달음을 얻는 것을 굉장히 높이 평가하고 있다. 하지만 이러한 생각은 잘못된 것이다.

한쪽은 선불교를 한다고 무시하고, 다른 한 편은 경전 불교를 한다고 서로 무시하며, 이것이 제일이라고 생각하지 말고 자신의 자질을 따라가면 되는 것이다. 천재적이지 못한 사람이더라도 계속해서 열심히 공부하면 어느 길이든 열리게 된다. 무조건 천재를 따라가는 것이 아니라 자신에게 맞는 공부 방법을 선택하면 되는 것이다. 어떠한 방법이든 간절한 마음으로 깨달음을 얻고자 노력한다면 무엇이 더 대단하고, 대단하지 않다고 이야기할 수 없다.

참선을 하고 깨친다는 것은, 어떤 면에서 보통 사람이 특수한 사람으로 바뀌는 것이라고 생각한다. 그런데 보통 사람이면서 자신이 보통 사람이라는 걸 알고 있으면 특수한 사람이 되는 것이고, 깨치게 된다. 우리는 자기 자신이 보통 사람이라는 것을 모르고 산다.

우리는 굉장히 자비로운 사람인데 자비로운 사람인지 모른다. 그래서 남을 사랑했다가 미워했다가, 원한을 가졌다가 용서했다가 한다. 이는 우리가 자비를 확실하게 모르기 때문에 그렇다. 확실히 자비를 아는 사람은 순전히 남을 깊이 사랑하고 가엾게 여기는 마음만을 가지고 있다. 그래서 사랑했다 미워했다, 원한을 가졌다 용서했다 하는 것이 있을 수 없다. 이런 사람이 바로 깨우친 사람이다.

종교적으로는 이를 전의傳衣라고 하는데. 깨우쳐서 완전히 바뀐다는 뜻이다. 하지만 이러한 깨우침을 통해 완전히 바뀌는 사람이 되기란 너무나 어렵다. 때문에 그런 특수한 사람이 되기 어렵다면 우리는 독서와 수양을 열심히 하면서 마음을 그때그때 바꾸도록 노력해야 한다.

혜국 스님과 아잔간하 스님은 깨달음을 얻고자 한다면 간절한 마음으로, 끊임없이 의심하라고 이야기했다. 불교에서는 참선 수행자가 깨달음을 얻기 위하여 진리를 찾고자 하는 것을 화두話頭라고 한다. 화두란 의심 덩어리를 이른다. 혜국 스님은 '내가 누구냐?'라는 의심을 갖고, 앉아 있거나 누워 있을 때, 말하거나 침묵할 때, 움직이거나 가만히 있을 때, 즉 일상생활의 모든 순간순간에 내가 누구인지를 생각했다고 한다. 화두를 가지고 간절한 마음으로 공부를 할 때 마치 닭이 알을 품는 것과 같이 하며, 고양이가 쥐를 잡을 때와 같이 하며, 어린아이가 엄마를 생각하는 것과 같이 하면 반드시 화두에 대한 의심을 풀어 깨달음을 얻을 수 있다고 한다.

하지만 우리가 많은 화두 가운데 한 가지를 취하여 참선해보면 쉽게 화두에 집중하지 못한다. 화두는 자꾸 달아나고 번뇌 망상이 자꾸 스며들기 때문이다. 그래서 더욱 간절한 마음이 중요하다.

예를 들어 의사 중에서도 안정적인 직업이고 돈을 많이 벌 수 있기에 의사가 된 사람에 비해 부모님이 투병 중 돌아가셨는데 왜 그 병으로 돌아가셨는지, 그 병을 이길 수 있는 약은 전혀 없었던 것인지 계속 의심하다 결국 자신이 의사가 되어 치료법을 찾고자 한 사람이 더욱 성공적이고 위대한 의사가 될 수 있는 것이다.

우리가 세 분의 고승처럼 큰 깨달음을 얻는 일은 매우 힘들지만 깨달음을 얻기 위한 의심의 시작은 자기 자신을 보는 것이다. 내가 사랑과 미움이 무엇인지를 알고자 할 때 자신이 사랑할 때와 미워하는 모습을 보고 무엇이 사랑이고 무엇이 미움인지 의심하는 것에서부터 공부를 시작하면 되는 것이다. 이때 가장 중요한 것이 간절함이니 간절한 마음으로 가고 또 간다면 반드시 깨달음의 길이 열릴 것이다.

버리지도 말고,
구하지도 말라

다음은 『선가귀감』에 실린 글이다.

불용사중생심不用捨衆生心 단막염오자성但莫染汚自性

구정법求正法 시사是邪

사자구자捨者求者 개시염오야皆是染汚也

"중생의 마음을 버릴 것 없이 다만 자성을 더럽히지 말라. 바른 법을
구하는 것이 곧 바르지 못한 것이니라. 버리는 것이나 구하는 것이 모
두 더럽히는 일이다."

세상을 살아가다 보면 다양한 감정을 느끼고 수많은 갈등과 마주하게 된다. 때로는 원치 않는 거짓말을 해야 할 상황에 직면하여 마음을 졸이기도 한다. 이처럼 세상살이가 복잡하게 느껴질 때면 모든 것을 등지고 떠나고 싶기도 하고 상처받지 않기 위해 모든 것을 용서하며 마음을 숨기려고 한다. 혹은 파사현정(破邪顯正, 삿된 것을 깨뜨려 바른 것을 드러나게 하다)의 마음가짐으로 거짓을 혁파하고 바른 것을 드러내려 고군분투孤軍奮鬪하기도 한다.

하지만 마음을 숨긴다고 해서 사라지는 것도, 무엇이든 파사현정할 수 있는 것도 아니다. 끊임없이 타인과 부딪히고 선택의 기로에 놓이는 것이 피할 수 없는 우리의 현실이기 때문이다.

이렇듯 우리는 마음에 파도가 일 때마다 각자의 방식으로 더 좋은 해결 방법이 없는지 끊임없이 고민하고 생각한다. 그러나 이 또한 생각이 일어나는 것이기 때문에 자칫 마음의 혼란만 더욱 가중시킬 염려가 있다.

우리가 갈등을 해결할 수 있는 유일한 방법은 그런 순간들 앞에서 나 자신이 누구인가를 자각하려고 노력하는 것이다. 중생의 마음, 즉 번뇌와 망상을 버리려 하고 바른 것을 찾기 위해 또 다른 생각을 취할 것이 아니라 항상 자기 자신을 반성하고 순간순간 내가 누구인지 자성하는 가장 순수한 상태에서 판단을 내릴 때, 마음이 고요해지고 사태 해결을 위한 중심을 잡을 수 있다.

희로애락喜怒哀樂, 선악善惡에 대한 생각과 같은 중생의 마음을 애써 버리려 하지 말아라. 그리고 더 좋은 해결책을 애써 구하려 하지 말아라. 우리가 할 수 있는 것은 어떤 순간이든 나 자신에 대해 자성하는 것뿐이다.

하루에 몇 번이라도 내가 누구냐 하는 생각을 하게 된다면 복잡한 세상 속에 살아갈지라도 행복한 사람이 될 수 있다. 이때 중요한 것은 내가 누구냐 하는 물음만 할 뿐, 반드시 해답을 구하려는 논리적인 노력에는 치우치지 말아야 한다는 것이다. 다만 내가 누구인가 끝없이 의심하는 것이 진정한 자성에 이르는 첩경이다.

4부

———

소중한 인연과
더불어 살아가기

다른 사람을
먼저 돕는다

『논어』「위령공衛靈公」편에 다음과 같은 유명한 구절이 있다.

기소불욕물시어인己所不欲勿施於人

"내가 하고자 하지 않은 것은 다른 사람에게 시키지 말라."

인간은 누구나 비슷한 성정을 가지고 있다. 내가 싫은 것은 남도 싫어하고 내가 좋아하는 것은 남도 좋아하는 법이다. 내가 하기 싫은 것을 다른 사람에게 시키는 것을 속된 말로 갑질이라고 한다.

예를 들어 남편이 집안일을 하기 싫어 아내에게 미룬다면 당연히 아내도 하지 않는다. 남편이 스스로 더러운 것을 쓸고 닦아야 아내도 함께 청소하고 싶은 법이고 그래야 가정이 평안하다.

사람 위에 사람 없고 사람 밑에 사람 없다는 말이 있다. 사람은 본래 태어날 때부터 모두가 평등한 존재이며, 타인의 마음을 이해하고 배려하는 것, 그것이 공자의 가르침인 인仁의 기본인 것이다.

스스로 먼저 행동으로 옮긴 연후에 남에게 시키고, 내가 즐기는 것을 상대방에게 베풀어야 한다. 그렇게 하면 다른 사람들에게 좋은 인상을 줄 수 있고 나까지 행복해지는 출발점이 된다. 그것이 바로 배려이며, 공자가 일생 강조한 인仁의 요체이다.

내가 행복해지고 성공하고 싶다면 먼저 다른 사람을 도우려고 해야 한다. 다음은 『논어』「옹야雍也」편에 나오는 말이다.

인자仁者 기욕입이입인己欲立而立人, 기욕달이달인己欲達而達人

"인자는 내가 서고자 하면 다른 사람을 먼저 세우고, 내가 이루고자 하면 다른 사람이 먼저 이루도록 하라."

내가 어떤 자리에 서고 싶은데 다른 사람이 그 자리에 서고 싶을 수 있고 내가 어떤 목표에 이르고 싶은데 다른 사람도 그 목표에 이르고 싶을 수 있다. 예를 들면, 부모님이 형제가 똑같이 원하는 선물을 하나만 사왔을 경우를 생각해보자. 내가 선물을 가지기를 원하는 만큼 형제도 그 선물을 가지고 싶어 하는 것이다. 내가 가지고 싶다는 욕망 자체로부터 한 걸음 물러나서 다른 사람의 욕망을 인정하고 우선권을 양보할 수 있다면 그것이 바로 상대를 사랑하는 실천 방법인 것이다.

우리는 위와 같은 말을 마음에 새기려고 노력하지만 사실 실천하기란 쉽지 않다. 하지만 이를 알고 있는 사람이 깨어 있는 사람이고 노력하는 삶이 아름다운 것이다. 독자 여러분도 모든 것을 역지사지易地思之로 생각하면서 이것이 겨울 아침 정신 번쩍 드는 찬바람처럼 머리를 때릴 수 있는 말이 되길 바란다.

인연을
소중하게 여겨라

『선가귀감』에 인연에 관한 좋은 구절이 있어 소개한다.

일의일식 막비농부지혈 직녀지고 도안 미명 여하소득

一衣一食 莫非農夫之血 織女之苦 道眼 未明 如何消得

"그대의 한 벌 옷과 한 그릇 밥이 길쌈하는 여자들의 땀과 농부들의 피가 아닌 것이 없거늘, 도의 눈을 밝히지 못한다면 어찌 소화하겠느냐."

수행자의 몸에 걸치는 옷과 입에 들어가는 한 톨의 쌀에는 길쌈

하는 여인네와 농사짓는 농부의 피와 땀이 어려 있다. 그러므로 귀중하고 소중하게 생각해야 하는데 시물(施物, 시주로 내놓은 물건)을 받아쓰는 것을 공것이라 생각한다면 이는 큰 잘못이다. 부처님 앞에 공양을 올린 사람들의 은혜를 갚지 않고서는 그 과보를 견뎌낼 수 없는 것이 세상에서 변하지 않는 인과(因果)의 법칙이며 인연(因緣)의 소치이기 때문이다. 그러므로 수행을 한다는 명분을 내걸고 시주나 공양을 받는 일은 극히 신중하게 생각해야 한다.

우리가 사는 것은 내 힘으로 된 것이 아니라 다른 사람과의 인연에 의해 이루어진다. 내가 먹는 밥도 내가 입는 옷도 여러 사람의 도움으로 만들어졌으니 그 인연과 고마움을 항상 되새기며 살아야 한다.

다시 강조하지만, 우리가 사는 곳은 하나하나가 모두 인연 관계에 의해 맺어져 있다. 나라는 존재가 여러 인연 속에서 이루어졌음을 안다면, 내가 목표하던 것이 잘 이루어지지 않았더라도 상대방을 욕하고 비난하는 것이 아니라 '과거에 내 인연 하나가 잘못된 것이기에 그런 것이구나'라고 생각하면서 그 상황을 이해해야 한다. 저 사람 때문에 일이 이렇게 되었다고 탓하면 내 마음만 괴로운 것이다.

스스로를 반성하는 마음을 통해 오히려 그 일이 이번에 안 되었지만 다른 것이 잘되기 위해 그랬다고 생각한다면 내 마음이 훨씬 편안해진다. 우리가 살아가면서 남을 자꾸 비난하고 탓한다면, 나 역시 기억하지 못하는 사이 언젠가 상대방에게 고통이나 나쁜 마음을 주었을 것이다. 따라서 나에게도 이러한 일이 생겼다고 반성하고 그 어려움을 털고 일어나야 한다. 그러나 반성이 너무 지나쳐 나를 비난하거나 못난 사람으로, 아무것도 못하는 사람이라고 낮춰봐서도 안 된다.

혜민 스님도 말씀하셨지만, 남을 한없이 잘 위로해주고 이해하면서 나 자신에게는 엄격하고 스스로 아끼는 마음은 가지지 못하는 것도 문제이다. 자신의 행동을 반성하고 다음에 그런 행동을 하지 않도록 노력하는 것은 좋은 태도이지만, 스스로 몸과 마음을 상하게 할 정도로 자책하면 안 된다. 내가 먼저 나를 아껴줄 때, 세상도 나를 귀하게 여기기 시작하기 때문이다. 그런 자기애를 바탕으로 스쳐가는 모든 인연을 소중하게 여기고 작은 것이라도 감사하는 마음을 가질 때 삶이 평화로워진다.

관계를 중시하는
동양사상

　미국 플로리다주 올랜도에서 총기 난사 사건이 일어난 적이 있다. 범인은 아프가니스탄 출신 이민자 오마르 마틴으로, 총 50명을 살해하고 53명을 다치게 한 최악의 총기 참사였다. 그 사건을 철학적으로 살펴보면 동양과 서양의 생각 차이를 알 수 있다.

　서양의 철학은 탈레스가 우주의 본질과 인간의 본성이 무엇인지를 찾고자 했으며, 기독교가 등장하면서부터는 신의 존재를 증명하기 시작했다. 나아가 서양에서는 본질인 실체가 있다고 주장하고 본질인 실체를 현상화시키는 것을 이성이라고 했다. 이성은 모든 것을 질서 정연하게 만든다. 규정을 내리고 정의를 내리고 그 정의 밑에서 질서를 찾고 잡다한 생각을 모두 논리로 정한다. 이것이 서양의 철학적인 배경이다. 현대 서양에서는 실존철학이 등장해 인간 존재와 인간적 현실의 의미를 개별적 차원에서 구체적인 모습으로 파악하고자 한다.

한편 동양을 살펴보면, 공자는 인간의 본성을 선(善)이라고 이야기 했고 이후에 맹자는 인간의 마음인 4단심(四端心, 인의예지)을 중요시하고 인간관계에 대한 여러 가지 지혜를 가르쳤다. 이러한 동양 사상은 불교와도 연결되는데, 불교 역시 인간의 마음을 중시하고 인간은 관계에 의해 이루어졌다고 말한다.

이렇게 동양 철학과 서양 철학은 차이가 있다. 서양에서는 본질이 곧 실체이다. 본질은 각각의 요소로서 다 개성을 가지고 독립적으로 존재하며 관계 개념이 없다. 그렇기에 본질적으로 인간은 개별적인 존재라고 여긴다. 그러나 동양은 모든 것을 관계 개념으로 생각한다. 그래서 혼자 독립된 것 없이 모두 인연으로 이루어진다고 말한다.

이처럼 동·서양에 따라 철학이 다르게 발달하면서 각각의 문화에 영향을 주어 다른 형태의 사고와 생활양식을 탄생시켰으며 사물이나 대상을 보는 사고 방법도 달라졌다. 동양 철학을 바탕으로 한 동양에서는 관계 개념이 있기 때문에 전체 관계를 중요시하여 집단적 살인을 하기 힘들다. 저 사람이 죽으면 나도 살기 힘들다는 생각을 하기 때문이다. 그런데 서양, 특히 미국에서는 신의 실체나 본질 또는 이성에 규격화돼서 그것이 되어 있는 사람의 생활과 그렇지 않은 사람의 생활이 달라진다.

미국이라는 나라는 영국의 식민지 거주자들, 즉 이민자들이 세운 나라이다. 그래서 그만큼 개인주의가 강하고 여기에 따른 부작용도 만만치 않았다. 초기 이민자들은 현재의 이민자들과는 근본이 다르다. 그들은 자기들끼리 똘똘 뭉쳐 아메리카 대륙을 자신들의 영토로 만든 후 우리가 주인이라는 생각으로 꽉 차 있었기 때문에, 우월감을 바탕으로 백인 이외의 다른 사상과 풍토에서 자란 사람들을 함께 살아가기 어렵게 만들었다. 현대에 이렇게 테러가 많이 발생하는 이유도 그런 서양인들의 문화에서 기인한 것이다.

그러한 서양 사상의 모순적인 부분이 총기 난사 사건을 통해 표출되었다고 생각한다. 동양은 오히려 개성적이고, 특별한 것을 주장하지 않는 경향이 강하다. 본질에 가까워지려고 하는 것은 특정한 욕망 때문이 아니다. 극에 도달하면 다시 돌아온다고 생각하는 철학이 있기 때문에 오히려 보통 사람으로의 삶을 추구하는 것이 동양의 사상이다.

본질의 사상,
관계의 사상

우리 민족은 5,000년간 외적의 침입으로 많은 핍박과 억압을 받으면서도 굴하지 않고 남산의 소나무와 같이 독립된 국가를 굳건히 지킨 민족이다. 그렇게 할 수 있었던 것은 우리나라 사람들에게 어떠한 사태도 긍정적이고 낙관적으로 대처해내는 능력과 어느 사상이든 잘 수용했던 강한 적응력이 있었기 때문이다. 전 세계적으로 우리나라 사람들처럼 적응력이 뛰어난 민족이 없다. 그렇기 때문에 우리나라에는 기독교, 불교, 유교, 도교, 이슬람교 등 모든 종교가 모여 있다. 우리나라는 세계 문화의 저장고이면서, 세계 종교의 저장고라고 할 수 있다.

기독교는 우리나라에 들어온 지 200년 정도밖에 되지 않았지만 크게 번성했는데 그 밑에는 유교 사상이 흐르고 있다.

한국에 자리 잡은 종교를 크게 둘로 나눠보면 본질이 중심이냐, 관계가 중심이냐에 따라 구분할 수 있다. 본질이 중심이 되는 것은 기독교와 유교이다. 기독교는 '사랑'을, 유교는 '인仁'을 본질로 한다. 유교 사상은 한국에 들어와 민족정신 형성에 중요한 역할을 했다. 조선 시대에 유교는 국가 통치의 근본이 되어 하나의 학문으로서만이 아니라 실제 행동으로 민중을 움직이기도 하는 특성을 보였다. 국정 부패를 규탄하는 유생들이 상소를 올리기도 하고 국권이 침해되었을 때 유생을 중심으로 항거하는 등 의로운 행동의 근간이 되기도 했다. 이렇듯 유교는 한국 사회의 발전과 변화를 이끌었다.

이에 반해 불교와 도교는 관계에서 이루어지는 사상이다. 불교는 본질이 없고 모든 것은 다른 것과의 관계 속에서만 존재할 뿐 이 세상의 어떤 것도 홀로 영원히 독립해서 있을 수는 없으며 내가 나일 수 있는 것은 타인과의 관계에 의한 결과로서, 이렇듯 모든 것은 서로 영향을 주고받는다고 보고 있다.

도교에서도 있다고 하는 것은 없다고 하는 것이 전제되지 않으면 있음이 없고, 없다는 것도 무엇이 있어서 없는 것이 아니라 있음과 없음의 두 가지의 관계성을 통해 어떤 것의 개념이 생겨난다고 말한다.

기독교와 유교는 본질에 대한 탐구와 가르침을 통해 우리나라에서 빠르게 번성할 수 있었다. 이에 반해 불교와 도교는 마음의 수양을 통해 고통을 해결하는 방법을 제시했지만, 확고하게 추구하는 본질을 찾기 어렵고, 현실적인 문제와는 무관한 것 같은 모습을 보였다.

그러다 보니 현실적인 것을 가르치는, 본질을 인정하는 사상이 한국 사회를 지배해왔다. 간혹 불교 사상이 민족의 전통적인 사상으로 거론되기도 하지만, 실질적으로는 모두 유교 사상을 밑바탕에 두고 있다. 이렇게 현실적이고 본질적인 사상에 매달리는 것도 좋지만, 마음이 불안하고 고통스러울 때는 불교적인 방법으로 마음의 안정을 찾는 것도 도움이 많이 된다. 본질이 있는 사상과 관계성이 있는 사상, 이 두 가지 사상을 조화롭게 수용할 때 우리는 균형감 있는 삶을 살 수 있을 것이다.

좋은 운을
만드는 방법

살아가면서 좋은 운을 만드는 방법에 대해서 생각해보자.

대저망기大抵忘機 시불도是佛道

분별시마경分別是魔境

연마경몽사然魔境夢事 하로변힐何勞辨詰

"대체로 무심한 것이 부처님의 도요, 분별이 일어나는 것은 마의 일이다. 그러나 마의 일이란 꿈 가운데 일인데 어찌 따질 것이 있으리오."

역시 『선가귀감』에 있는 글귀이다. 살아가는 모든 일에 좋다, 나쁘다, 옳다, 그르다고 판단하는 것은 분별을 하기 때문에 일어난다. 그러나 그 분별이 일어나는 것은 다 마魔의 일에 지나지 않는다. 마란 몸과 마음을 소란하게 하여 도를 닦는 데 방해되는 여러 가지 장애인데 그 마의 일도 꿈 가운데 일인데 어찌 따지느냐는 것이다.

예를 들어 친구와 싸우고 나서 가만히 생각해보면 아무것도 아닌 일로 싸웠다는 생각이 들 때가 있고, 자녀들을 한참 혼내고 나서 생각해보면 그게 뭔데 이렇게 혼을 냈나 자책이 들기도 한다. 우리가 상대방과 대립하는 일은 다 꿈에 있는 일이지 실제로 있는 일이 아니다. 실제로 있는 일은 지혜, 곧 불도佛道밖에 없다. 불도는 마음이 아주 무심한 것으로 누가 뭐라고 하더라도 무심히 듣고 대립을 하려 하지 않는 것이다.

남이 말하는 소리를 듣고 거기에 대상을 만들어서 그 대상과 나를 비교하기 때문에 싸움이 벌어지게 된다. 내 생각과 다르더라도 그렇게 생각할 수도 있다고 여기면 되는데 '저 말은 나를 지적하는 말이다', '나의 약점을 지적하는 말이다'라고 생각하면 화가 나는 것이다.

이런 말씀도 있다.

업자業者는 무명야無明也요,
선자禪者는 반야야般若也라

명암불상적明暗不相敵은 이고연야理固然也니라.

"업이란 무명이요 선은 지혜이다. 밝은 것과 어두운 것이 서로 맞설 수 없는 것이 이치이다."

업이라는 것은 잘못된 행동으로 인한 업보를 이야기하는 것이다. 사람들과 어울리면서 입 밖으로 칭찬이 아닌 비난의 말이 나오기 시작하면 뭔가 잘못된 것이다. 운은 아무것도 하지 않아도 갑자기 생기는 것이 아니라 사람과 사람 간의 관계가 맺어졌을 때 나온다.

다시 말해 사람들과 좋은 관계를 유지해야 좋은 운이 들어오는 것이다. 나쁜 관계를 만들면 운이 들어오지 않는다. 사람을 욕하고 비난하면 그 사람이 절대 나를 끌어주지 않는다. 사람에게 화가 나는 경우가 생기면 차라리 평가를 내리지 않고 마음을 비워 무심하게 생각하고 말을 하는 것이 좋다.

마음이 안정된 사람에게는 지혜가 있다. 10분이라도 혼자 있는 시간을 가져보라. 혼자 있는 시간을 통해 오늘 할 일과 내일의 할 일을 정리하고 호흡을 내쉬고 들이쉬는 연습을 하면 마음이 안정된다. 그렇게 하면 잠을 자도 혼란한 꿈을 꿀 일이 없게 된다.

매일 나의 하루가 어떠했는지를 정리할 필요가 있다. 오늘 내가 잘했든 못했든 반성은 하되, '나는 왜 이럴까?', '나는 그런 거 하나 못하는 사람이야'라고 자학해서는 안 된다. 뭔가 문제가 생겼을 때 '저 사람이 나를 괴롭히려고 그러는 건 아닐까' 하고 부정적으로 생각하는 것도 좋지 않다. 밝으면 어두운 것이 사라지듯이 마음이 고요하면 혼란이 사라진다.

마음의 안정을 위해 우리는 혼자 있는 시간을 가지며 잡념을 버려야 한다. 모든 일에 집착하고 예민하게 구는 것이 아니라 오히려 여유를 가지고 무심하게 생각해야 한다. 그렇게 해서 지혜가 밝아져야 다른 사람들과 좋은 관계를 맺을 수 있고 항상 좋은 운이 따르는 것이다.

필연으로 얽힌
소중한 인연들

진시황의 책사策士였던 이사李斯가 했던 충언忠言이다.

해불사수海不辭水 고능성대故能成大

태산불양토泰山不讓土 고능성대故能成大

"바다는 물을 사양하지 않기에 능히 그 광대함을 이루고 태산은 흙과
돌을 사양하지 않기에 능히 그 거대함을 이룰 수 있다."

당시 진시황은 다른 민족을 배척하는 정책을 시행했다. 하지만
이사의 충언을 계기로 다른 민족들을 수용하게 되었고 그 덕분에

진시황은 천하 통일에 성공할 수 있었다. 세계화 시대인 현재 우리 나라의 상황도 이와 크게 다르지 않다. 외국인, 외국 문화에 포용력을 가져서 모두가 한마음으로 일심一心을 이루도록 해야 한다. 개인도 마찬가지이다. 큰 사람이 되고 싶다면 그럴수록 바다와 태산처럼 두루 포용할 수 있는 사람이 되어야 한다.

'중심성성衆心成城 중구삭금衆口鑠金'이라는 고사성어가 있다.

사람들의 마음이 하나로 모이면 성을 쌓을 수 있고 사람들의 입에 오르내리면 쇠도 녹는다는 뜻이다. 여기서 중심이라는 것은 대중의 마음이다. 대중의 마음이 일심一心이 되면 성도 쌓을 수 있다는 것이다. 그만큼 여러 사람이 힘을 합치면 큰 힘을 발휘한다. 장대한 일은 혼자 이룰 수 없다. 여러 가지 운명으로 얽힌 소중한 인연들과 함께해야 한다.

불교의 불화佛畫 중에 〈만다라曼茶羅〉라는 그림이 있다. 만다라는 대승불교의 한 축을 이루는 밀교密敎에서 부처님이 깨달은 세계를 그림으로 표현한 것으로 '원만구족圓滿具足', 즉 모든 법을 원만히 다 갖추어 모자람이 없다는 뜻을 지니고 있다.

이 세상 모든 것이 원만구족한 이유는 어느 하나 연결되어 있지 않은 것이 없기 때문이다. 개별적으로 원만구족한 사람들이 연결되어 우리가 되고 서로의 필요가 맞물려가며 세상의 원리가 작동되는 것이다. 개별 주체는 각기 소우주小宇宙를 형성하고 있다. 즉, 우리

안에는 만물이 다 들어 있다. 우주의 한 공간에 삶의 터전을 잡고 자연에서 나고 자라는 것들을 먹고 마시며 대자연을 품고 살아가는 것이 바로 우리가 원만구족한 존재임을 입증해주고 있다.

이렇듯 나 자신을 가만히 들여다보면 모든 것을 어우르며 살고 있음을 알 수 있다. 물론 품고 사는 모든 것이 깨끗하고 좋은 것만은 아니다. 좀 더 엄밀히 말하면 한없이 깨끗하지만 한없이 더러운 것이 바로 우리의 모습이다. 다만 깨끗한 것만 가꾸려 하고 더러운 것은 감추기에 그 양면성을 인지하지 못하는 것뿐이다. 그러나 모든 것이 연결되어 있고 하나가 되어 살아가야 하는 것이 만물의 이치이므로, 내 안의 모든 것을 어우르는 '일즉다 다즉일卽多 多卽一', 즉 하나가 여럿이고 여럿이 하나라는 마음가짐을 늘 갖추어야 한다.

인간관계도 마찬가지이다. 사회생활을 하다 보면 미운 사람도 있고 나를 괴롭게 하는 사람도 있을 것이다. 하지만 그들을 적으로 속단하고 마음을 닫아버린다고 하여 번뇌와 고통을 없앨 수는 없다.

바람직하지 못하다고 여기는 현상을 있는 그대로 인정하면서 나로부터 해결책을 찾으려고 노력할 때, '번뇌즉보리煩惱卽菩提', 즉 고가 있어야 락이 있다는 것을 깨닫고 어느 하나에 얽매여 집착하지 않으면서 모든 것을 품으려 할 때 우리는 그러한 마음의 갈등을 해소할 수 있다. 타인으로부터 느끼는 괴로움을 내 성장의 발판으로 삼는 긍정적인 자세를 갖추는 것도 하나의 방편이 될 수 있다.

서양의 철학자 스피노자는 그의 저서 『에티카Ethica』에서 필연에 의한 일체 사물의 형성을 주장했다. 즉 우리는 필연에 의해, 어쩌면 전생에 이미 연을 맺어 이 자리에서 함께할 수 있게 된 것일지도 모른다. 어려운 세월 속에서도 만다라라는 생각을 갖고 엮어진 인연을 소중히 여기며 모든 것을 아우를 수 있을 때, 마음의 화합을 이루고 만사에 밝은 얼굴로 임할 수 있다. 그렇게 한다면 관계 맺는 모든 곳에서 행복을 곁들일 수 있을 것이다.

타인의 결점을
대하는 방법

『채근담』에는 타인의 결점을 대하는 방법에 대한 지혜가 다음과
같이 담겨 있다.

남의 나쁜 점 꾸짖음을 너무 엄하게 하지 말라.
그 말을 받아서 감당할 수 있는가를 생각해야 한다.
남을 가르침에 좋은 일 들기를 너무 높은 것으로써 하지 말라.
그 사람이 들어서 구할 수 있는 것으로써 해야 한다.

타인의 단점에 대해 충고하지 않는 것이 가장 좋지만 때로는 타
인을 위해 어쩔 수 없이 충고해야 하는 순간이 온다. 예를 들어 누군

가 어떤 실수를 저질렀을 때, 그가 또다시 실수를 되풀이하지 않게 하기 위해서는 적절한 충고가 필요할 것이다.

하지만 우리는 타인의 실수에 관대하지 못해 충고를 빙자해 심한 책망을 하고는 한다. 물론 누군가는 그 말에 자극을 받아 더 좋은 방향으로 나아갈 수 있지만, 또 다른 누군가는 더 큰 반감을 갖게 될 수도 있다. 즉, 사람들의 교육 수준과 소양 등이 각기 다르기 때문에 충고를 받아들이는 정도 역시 차이가 있다. 따라서 충고를 하고자 할 땐, 그 사람에게 적합한 수준을 우선 고려해야 한다.

조언을 할 때도 마찬가지다. 제아무리 훌륭하고 좋은 조언이라 할지라도 그것을 행하는 사람의 지식 수준과 경험에 따라 도움이 되기도, 그렇지 못하기도 하다. 그러므로 상대가 받아들일 수 있는 수준에 맞는 실천 방안을 제시해주거나 칭찬을 할 때 우리가 전하고자 하는 마음이 타인에게 닿을 수 있을 것이다.

때때로 우리는 스스로 행하지도 못하는 일들조차 손쉬운 일인 것처럼 말하며 격에 맞지 않는 충고와 조언을 하는 경우가 많다. 타인의 결점을 대할 때 내가 좀 더 나이가 많다고, 혹은 좀 더 많이 배웠다고, 혹은 좋은 것을 많이 안다고 해서 타인에게 엄격한 잣대를 들이밀거나 지나친 기대를 하는 것은 아닌지 늘 경계해야 한다.

귀 기울여
들으라

　타인의 말에 담긴 뜻을 잘 이해하는 사람을 '말귀를 잘 알아듣는다'라고 이야기한다. 우리는 흔히 "밥 많이 먹어라", "차 조심해라"라는 부모님의 말씀을 잔소리로 여기곤 한다. 그러나 그 말뜻을 한 번만 더 생각하고 이해하려고 노력한다면 듣기 싫은 소리로 치부할 이유가 전혀 없다.

　예컨대 조금만 차분히 생각해보면 밥을 많이 먹으라는 말씀에는 사랑이, 차 조심하라는 말씀에는 걱정이 담겨 있음을 금방 알 수 있다. 부모님의 말씀에 녹아 있는 뜻을 진정으로 이해하고 마음을 누그러뜨린다면, 독자 여러분도 부모님도 모두 마음이 편해질 것이다.

　귀담아듣고 이해하는 것의 중요성을 알려주는 일화 한 편을 소개한다. 영국의 『영어사전A Dictionary of the English Language』을 편찬한 저자 새뮤얼 존슨Samuel Johnson은 열일곱 살때 책방 문을 닫아달라는 아버지의 부탁을 귀찮게 여겨 닫지 않았다. 그러나 그날 비가 잔뜩 내려서 책방이 물에 잠기는 바람에 아버지가 돌아가시고 말았다. 그리고 50년 후 그 책방 옆에서 백과사전 출판기념회를 열며, 그때 아버지의 부탁을 흘려들었던 것에 대한 후회의 눈물을 쏟았다고 한다.

존슨이 아버지의 말씀에 조금만 귀 기울였다면 그와 같은 비극이 일어나지 않았을 테고 영광의 순간을 함께하며 기쁨을 나눌 수도 있었을 것이다. 타인의 말에 좀 더 귀를 기울이고, 그것을 헤아려보려고 노력하고, 자비의 마음으로 대한다면 결과적으로 상대방과 내가 모두 행복해질 수 있는 것이다.

좋은 인연은 나를
바르게 자라게 한다

독자 여러분이 서로에게 좋은 동료, 좋은 벗이 되길 바라는 마음으로 『소학小學』의 한 구절을 읊어본다.

익자삼우益者三友요 손자삼우損者三友니
우직友直하며 우량友諒하며 우다문友多聞이면
익의友便辟便하며
우선유友善柔하며 우편녕友便佞이면 손의損矣라.

"유익한 벗이 세 가지가 있고, 해로운 벗 세 가지가 있다. 정직한 사람, 성실한 사람, 견문이 많은 사람을 벗으로 삼으면 유익하고, 겉치레만 잘하고 정직하지 못한 사람, 남에게 아첨을 잘하고 성실하지 못한 사람, 말만 잘하고 견문에 실질이 없는 사람을 벗으로 삼으면 해롭다."

늘 정직한 자세로 상대방의 마음을 잘 헤아리고 소통하며 견문이 많은 사람이야말로 진정한 벗이다. 상대방에게 선한 영향을 주는 익자益者가 되도록 노력하면 나에게도 늘 유익하고 좋은 벗이 함께할 것이다.

『사자소학四字小學』에 '봉생마중 불부자직蓬生麻中 不扶自直'이라는 말이 있다. 굽어지기 쉬운 쑥대도 삼밭 속에서 자라면 곧게 자란다는 말이다. '근묵자흑 근주자적近墨者黑 近朱者赤'이라는 말도 마찬가지이다. 먹을 가까이하는 사람은 검어지고 붉은 모래(주사, 朱砂)를 가까이하는 사람은 붉게 된다는 말이다.

이 세상은 자기 혼자 사는 것이 아니다. 삼이 바르게 자라니 쑥도 바르게 자라듯이, 부모가 건전하면 아이도 건전하게 자란다. 학자 집에서 학자가 많이 나오는 것도 마찬가지이다. 불화한 부모 밑에서는 아이들도 바르지 못한 경우가 많다.

좋은 친구, 좋은 인연을 만나면 좋은 결과가 나오기 마련이다. 사람은 혼자서 살아갈 수 없다. 사회라는 환경 속에서 하나의 구성원이 되어 살아가야 한다. 그렇기 때문에 주변에 어떠한 사람이 있느냐가 매우 중요하다.

나 역시 어린 시절 좋은 선생님의 영향을 많이 받았다. 초등학교 때에는 웅변을 권해주신 선생님이 계셨고, 중학교 때에는 칼라일과 공자의 책을 권해주신 선생님이 계셨다. 함께 독서를 즐기던 친구들과 그를 통해 접했던 학자들의 책을 통해서, 저런 사람이 되어야겠다는 생각을 했고, 그렇게 맺은 좋은 인연들을 통해서 많은 성취를 이루었다.

주변에 어떤 것을 두게 되면 그것과 비슷해진다. 뭐든지 배울 수 있는 사람과 친구가 되어야 한다. 주변에 존경할 만한 사람과 친해지기 바란다. 배우고 존경하는 것은 반드시 큰 것에서 시작하는 것은 아니다.

끝으로 『논어』에 '삼인행필유아사三人行必有我師'라는 말이 있다. 세 사람이 걸어가면 그중에 반드시 나의 스승이 있다는 말이다. 훌륭한 사람이 있으면 본받고, 나보다 못한 사람이 있으면 그렇게 되지 말아야겠다는 것을 배울 수 있다는 말이다. 독자 여러분이 많은 사람과의 좋은 인연을 통해서 자기 자신을 성장시키고 발전시키기를 소망한다.

친절함이 만드는
세상

얼마 전 한국에 사는 한 콜롬비아인의 SNS에 "한국에서는 타인의 삶에 개입하거나 도와주지 말라"라는 글이 올라왔다. 교통사고가 날 뻔한 어린아이를 안아서 구해주었는데, 아이의 부모가 왜 아이를 안고 있느냐며 도리어 그에게 고함을 지르고 밀쳐 바닥에 넘어뜨렸다. 결국 경찰서까지 갔지만 인종차별적인 발언이 이어졌고, 이런 모습을 지켜보고도 소극적으로 대응하는 경찰에게 화가 나 해당 사건을 본인의 SNS에 올렸다고 한다.

대다수 한국인이 외국인들에게 친절하지만, 아직도 유색 인종에 대해서는 적잖은 인종차별이 이루어지고 있다. 그 밖에도 지나가다가 부딪히기만 해도 죽일 듯이 덤비고 화를 내는 사람이나 보복운

전으로 위협을 주는 사람들이 뉴스의 단골 소재가 되는 걸 보면 아직 우리나라에는 친절이라는 덕목이 많이 부족한 듯하다.

영국의 소설가 헨리 제임스Henry James는 "살아가면서 가장 중요한 것은 첫째도 친절, 둘째도 친절, 셋째도 친절이다"라는 명언을 남겼다. 함께 살아가는 세상에서 친절은 그 어떤 덕목보다 중요하다.

친절의 미덕을 잘 보여주는 일화 하나를 소개하겠다. 남에게 도움 한 번 못 받고 짓밟히기만 했던 소년이 있었다. 그 소년은 여느 아이들과 다름없이 미국 농구계의 전설로 불리는 마이클 조던Michael Jordan을 선망했다. 이 사연을 접하게 된 칼럼리스트는 소년에게 조던이 출전하는 경기 티켓을 선물하고 그를 만날 수 있게 해주었다.

소년은 조던을 보자마자 감격스러움에 주저앉았다. 그런 소년에게 조던은 "너는 참 훌륭한 아이다, 네가 나를 응원해달라"라고 말하며 응원석으로 안내해주었다. 조던에게는 작은 친절에 불과했지만, 짓눌려 살아온 그 아이에게는 인생을 바꾸는 계기가 되었다.

친절의 힘은 강하다. 그러므로 우리는 모두 친절해져야 한다. 바보스럽다는 말을 듣더라도 친절을 베풀어야 한다. 함께 더불어 살아가는 지구촌의 모든 식구들이 친절을 습관화하여 따뜻한 세상을 만드는 데 일조할 수 있기를 소망해본다.

사랑하기 때문에
이해하는 것

톨스토이 Leo Tolstoy 는 "내가 이해하는 모든 것들은 내가 사랑하기 때문에 그것들을 이해할 수 있는 것이다"라고 했다.

비슷한 맥락의 이런 이야기도 있다. 테레사 수녀에게 어느 날 밤 한 남자가 찾아왔다. 그는 "아이가 여덟이나 있는 가족이 있는데 그들은 가난해서 여러 날 굶고 있습니다"라고 말했다. 그러자 테레사 수녀는 그와 함께 그 집을 찾아가 쌀을 주었다. 그런데 그때 그 집 여인은 테레사 수녀에게서 받은 쌀을 반은 놓고 반은 가지고 나갔다. 후에 테레사 수녀가 어디 갔다 왔느냐고 물으니 이렇게 대답했다. "이웃집에요. 그 집도 배가 고프거든요."

대개 우리는 자신이 고통받을 때는 다른 이의 고통은 생각하지 않는 경향이 있다. 그래서 상처를 주는 말들을 쉽게 하며 타인의 아픔을 함부로 건드리곤 한다. 그러나 내가 고통을 받고 힘든 상황일지라도, 다른 사람들 또한 고통을 받을 수 있음을 염두에 두면 서로 상처를 주고받는 일이 없어질 것이다. 한 걸음 더 나아가 타인의 고통에 대해 적극적으로 생각하는 마음을 가질 때 사랑의 씨앗이 커지면서 톨스토이가 말한 것처럼 서로를 진심으로 알고, 이해할 수 있게 된다.

톨스토이의 명언과 테레사 수녀의 일화를 통해 우리는 사랑이 곧 이해라는 것을 알 수 있다. 서로를 이해하지 못하는 상처투성이 관계를 지양하고 사랑하고 헤아리고 때로는 언행을 절제할 줄 아는 아름다운 마음을 가진 독자 여러분이 되기를 바란다.

인생의 동반자를
생각한다

옛말에 조강지처糟糠之妻라는 말이 있다. 조강糟糠에서 조糟는 모주를 짜고 남은 지게미를, 강糠은 쌀을 씻으면 나오는 겨를 뜻한다. 따라서 조강지처란, '지게미와 겨를 먹고 살 정도로 가난했던 시절을 함께한 아내'로 풀이할 수 있다.

조강지처의 어원은 『후한서後漢書』「송홍전宋弘傳」에서 찾아볼 수 있다.

후한의 세조世祖가 된 광무제光武帝 밑에 많은 인재가 모였다. 그중 대사공大司空이 된 송홍宋弘이라는 사람이 있었다. 광무제의 누이였던 호양공주湖陽公主가 송홍을 마음에 들어 하자 광무제는 병풍 뒤에 누이를 숨기고 송홍을 초대했다. 그리고 송홍에게 이렇게 말했다.

"부유해지면 친교를 바꾸고, 귀해지면 처를 바꾼다고 하는데 그대는 어떻게 생각하나?"

"빈천할 때 친교를 잊을 수 없고 조강지처를 당(當, 집)에서 내리지 않는 것이라 생각합니다."

이 말을 듣고 호양공주는 송홍에 대한 마음을 접었다고 한다.

어려울 때 함께했던 사람을 버리는 것은 도리가 아니다. 그러나 세상에는 조금만 성공하고 살림이 나아지면 그 시절을 함께한 사람을 쉽게 잊고 내치는 일이 너무나 많다. 하지만 분명한 것은 자기밖에 모르는 사람들은 결국 불행을 맞게 된다는 것이다. 독자 여러분에게도 어려울 때 힘이 되어준 사람들이 있을 것이다. 그런 이들에 대한 고마운 마음을 늘 잊지 않고 서로에게 힘을 주는 인생의 동반자가 되기 바란다.

상대방이 있어야
내가 있다

불교의 근본사상은 연기緣起사상으로, 연기는 여러 가지 원인에 의하여 생기는 상관관계의 원리를 뜻한다. 연기설은 "이것이 있으면 저것이 있고, 이것이 멸하기 때문에 저것이 멸한다"라는 불설佛說에 근거를 두고 있다.

나는 홀로 존재하는 것이 아니라 우주 만물로 인해 존재하는 것이다. 이것을 학문적으로 정리한 것이 '화엄학'으로 화엄학의 근본정신은 '육상원융六相圓融'이다. 이것은 불교 사상의 하나로, 여섯 가지 구조로 이루어진 이 세상의 모든 존재는 서로 상관되고 합일되어 원만히 융합되고 조화調和를 이룬다는 철학이다.

세상의 모든 존재는 여섯 가지 상相, 즉 총상總相 · 별상別相 · 동상同

相·이상異相·성상成相·괴상壞相을 갖추고 있고, 그 전체와 부분 또는 부분과 부분이 서로 원만하게 융화되어 있다.

이 이론은 각각의 개별적 존재로 구성된 전체는 시간적으로나 공간적으로 끊임없는 연기緣起에 의해 연결되어 우주 전체를 하나의 통일적 화합체로 본다.

총상은 모든 법을 하나의 모양으로 보는 것을 말하며, 별상은 모든 법이 서로 모양이 다름을 뜻한다. 동상은 서로 다른 모양이 같은 목적을 가지고 있음을 뜻하고, 이상은 모든 법이 제자리를 지키고 고유한 상태를 유지하여 서로 다른 모습을 가지고 있음을 뜻한다. 성상은 모든 법이 서로 의지하며 동일체로서의 관계를 이루고 있음을 의미하며, 괴상은 모든 것이 동일체이면서도 각자의 본위를 잃지 않음을 뜻한다.

육상원융은 이러한 여섯 상이 서로 원만하게 융화된 상태를 말한다. 이는 세계를 구성하는 어느 하나가 잘나고, 하나가 못난 것이 아니라 모든 것이 다 화합하고 원만하게 융합해서 이 세계가 됨을 의미한다.

예를 들어 한 채의 집이 총상이라면 서까래와 기둥과 흙은 별상과 같다. 서까래와 기둥과 흙이 어울려서 집을 만드나 집이라는 전체의 틀 속에서 각자가 서로 역할에 어긋나지 않으면서도 집이 아닌 다른 사물을 만들지 않으니 집을 만드는 것 같은 모습을 지녔다고 하여 동상이라 하며, 서까래와 기둥과 흙은 한 채의 집을 만들면서 서로 거들고 바라보지만 하나하나의 역할이 다르니 이것을 이상異相이라고 한다. 한 서까래와 기둥과 흙이 하나의 모습과 여러 모습으로 서로 어울려서 집을 만드는 것을 성상이라고 하며 서까래와 기둥과 흙이 모여 집 모양 속에서 각자가 자기의 모습을 잃지 않고 머무니 그것을 괴상이라고 한다.

이 여섯 가지는 하나가 다른 다섯을 포함하면서도 또한 여섯이 그 나름의 상태를 잃지 않으며, 서로 걸림 없이 원만하게 융합되어 있다.

'일중일체 다중일一中一切 多中一', 즉 '하나 가운데 전부가 있고 많은 것 가운데 하나가 있으며 하나가 곧 전부이고 많은 것이 하나'라는 말은 우리 인간은 서로 적으로 삼고 싸우더라도 사실상 모든 것은 다 하나이며 어느 하나가 없이 살아갈 수 없다는 것을 말한다. 그렇기 때문에 우리는 모든 것을 더 크고 높은 차원에서 생각해야 한다.

나 혼자 잘나서 이 세상을 살아가는 것이 아니라 서로 돕고 살아가야 한다. 의견 대립이 있을 때도 내가 너와 싸워서 승자가 되겠다는 것이 아니라 전체가 있음으로써 개체가 있고 개체가 있음으로써 전체가 있다는 생각을 전제하고, 판단을 내리도록 해야 한다. 당장은 이렇게 판단하는 것이 손해를 보는 것 같지만, 종국에는 손해를 덜 보게 된다. 판단의 기준을 '함께 사는 것'으로 정하면 결단을 내리기가 쉽다.

우리의 삶 속에는 아주 작은 것 속에도 육상이 있다. 그것을 안다면, 인간의 판단에 절대적인 판단이 있을 수 없음을 깨닫게 될 것이다. 독자 여러분도 항상 상대를 인정하고 "네가 있으므로 내가 있고 내가 없으므로 네가 없다. 그러므로 모두 함께 공존하며 살아야 한다"라는 육상원융의 진리를 잊지 않고 살아간다면 어떠한 상황에서도 현명한 판단을 내릴 수 있을 것이다.